KB195935

물리학자와 소설가가
주고 받은 이야기

# 사랑, 이별,
# 그리고 결혼의 랩소디

물리학자와 소설가가
주고 받은 이야기

# 사랑, 이별, 그리고 결혼의 랩소디

초판인쇄 2018년 6월 28일
초판발행 2018년 7월 3일

**지은이** 이영백 / 이주희
**펴낸이** 이재욱
**펴낸곳** (주)새로운사람들
**디자인** 김남호
**마케팅관리** 김종림



**등록일** 1994년 10월 27일
**등록번호** 제2-1825호
**주소** 서울 도봉구 덕릉로 54가길 25(창동 557-85, 우 01473)
**전화** 02)2237.3301, 2237.3316 **팩스** 02)2237.3389
**이메일** ssbooks@chol.com
**홈페이지** http://www.ssbooks.biz

ISBN 978-89-8120-561-4(03810)

물리학자와 소설가가
주고 받은 이야기

# 사랑, 이별,
# 그리고 결혼의 랩소디

이영백·이주희 지음

새로운사람들

# 프롤로그

한 남자와 여자, 그들은 나이 차이가 있는 일반적 커플이었다. 그들은 충분하게 사랑했으나, 지금은 서로 언제 이별했는지도 잘 생각나지 않을 만큼 헤어져있었다. 하지만 마침표 다음에 문장을 다시 쓸 수 있듯이, 그들의 만남의 이야기가 시작된다. 도마뱀처럼 수시로 꼬리를 끊는 만남의 이야기가.

한참 동안 뇌리에서 사라졌던 이름과 모습이, 알라딘 요술램프의 요정처럼 솟구쳐 나온다. 그 요술램프의 요정이 아직도 가끔 튀어나와 주위를 서성대다 다시 들어가곤 한다.

시간과 장소가 달라지면 많은 것이 변한다. 사실 어떤 것은 아예 사라지기도 하고, 다른 것은 모양이나 용도가 달라지기도 한다. 그럼에도 불구하고, 어떤 것은 그래도 남는 것도 있다. 이런 것들을 생각하고 바라보면, 인생 자체와 같이 눈가에 물기가 맺히고 가슴이 저려지기도 한다. 눈치 채지도 못하게 시간이 흘러가서 그런가.

결혼한 지 그리 오래되지 않았으나, 또 다른 커플은 잠정적 이혼에 합의했다. 둘은 서로 너무 달랐다. 그들은 비슷한 나이이나, 크게 차이 나는 집안 출신의 커플이다. 하지만 다름을 사랑했기에 결혼을 선택했다. 둘이 행복한 순간도 적지 않았으나, 그것이 매일이 아니었을 뿐이다. 그 당시로는 이별에 대해 털끝만큼도 생각한 적이 없으나, 묘한 그림자가 왠지 주위를 서성거리고 있었다. 어느 때는 꽤 멀리서, 어느 때는 상당히 가까이서 …. 이별과는 저 멀리 별과 같이 떨어져 있었으나, 신기하게도 그 먼 곳에서 순식간에 날아온 다소 공상과학적인 이별이 이곳에 엄연히 존재하게 되었다.

만남의, 이별의 숙명 …. 그가 만들어 준, 그녀가 만들어 준 숙명. 세상에는 여러 가지 모습의 숙명이 있다. 그런데 왜 숙명으로 만나게 했으면 그대로 가게 하지, 길이 꼬이는 다른 숙명이 나타나는지. 숙명은 끊임없이 우리를 채워준다.

인간들은 자주 큰 흐름과 다른 행위에 집착을 한다. 마치 도도한 개울 군데군데 작고, 큰 소용돌이처럼 …. 바람에 흘러내린 그녀의 부드러운 머리칼을 올려주고 싶다. 아니 다시는 흘러내리지 않게 평생 옆에서 가볍게 잡고 있고 싶다. 포춘 쿠키에 나오는 좋은 글귀들만을 들려주고 싶을 뿐이다.

차 례

# 제1화,

# 우리의 이야기는 아직 끝나지 않았다

# I. 우리의 이야기는 아직 끝나지 않았다.

이나와 이배, 그들은 나이 차이가 있는 커플이다.

일반적인 회사를 다니고 있고 특별함이라고 할 것은 서로가 사랑을 할 때였다. 지금은 서로 언제 결별했는지도 잊어버릴 만큼 헤어져 있었다.

그들은 충분하게 사랑했고 부족함 없이 보편적인 시간들을 보냈다. 하지만 우리 모두에게 오는 이별 그리고 헤어짐에 대해서는 어떠한 아픔이 평균적이라고 해야 할지 모르겠다.

그들의 이야기는 마침표를 찍었다. 하지만 그래서 다음 문장을 쓸 수 있듯이 그들의 이야기가 시작된다.

그들의 이야기, 이별이다.

오늘도 잿빛 하늘이다.

켜놓은 텔레비전 뉴스 채널에서 중국 발 스모그까지 추가로 유입되어 오늘 내내 최악의 사태가 우려된다고 반복적으로 방송을 한다.

한 달 전 헤어진 이나의 하얀 얼굴이 창밖 잿빛 속에 떠오른다. 하늘이 이렇게 되었으면 하는 마음인가, 생각할 핑계를 찾는지도 모른다.

하얀 얼굴에 밝은 노란색 바나나우유를 툭하면 대롱으로 달콤하게 빨아 마시던 이나의 모습이다.

'왜 헤어졌지?'

왜 헤어졌는지, 누구 때문에 문제가 된 건지, 어디가 마지막 만남이었는지 잿빛 하늘 때문인가 얼핏 떠올랐다 사라진다.

'기억력이 나빠졌나?'

머리 뒷부분으로 의자 헤드 레스트를 꾹 누르며, 의자를 뒤로 젖힌다. 1년여 지내다 보니 서로에 대한 기대와 요구가 점점 많아져서, 그것을 감당하지 못해 제법 쿨하게 헤어진 게 생각난다.

'괜히 그랬나? 내가 요구를 조금 덜할 걸 그랬나. 얼굴도 몸매도 빠지지 않고 나보다 나이도 꽤 어린 이나라서, 데이트할 때면 사람들이 힐끗힐끗 부러운 눈으로 쳐다보고는 했는데….'

사실 고집이야 만만치 않았지.

다 좋은 것은 아니었어.

애써 나빴던 것들을 떠올려 헤어짐을 합리화하려 하나, 더 이상 다른 것들이 생각나지 않는다.

'그것뿐인가….'

그렇다면 잘 못 헤어졌다는 얘기인가?

그렇지, 담배 피우는 것이 있구나.

여러 해 담배를 피우다, 겨우 끊어 담배 냄새조차 맡기 싫은 판인데, 심지어는 밖에 담배 피러 갈 때 심심하고 무섭다고 나를 데려가곤 했다.

처음에는 모든 게 다 좋아서인지 매번 따라 나가곤 했으나, 얼마 지나서는 이런저런 핑계로 혼자 보낸 거 같다.

그런데 이상한 것은 담배 피우고 입맞춤을 하여도 담배 냄새가 별로 나지 않았다는 사실이다. 아직 젊음의 혈기가 냄새까지 다 태워버린 건지, 내 감각이 사랑에 마비가 되었는지….

핸드폰 갤러리에 잔뜩 들어 있는 '우리'의 사진들이 생각나 급히 핸드폰을 드는데, 또 스팸 전화다. 그나마 요새는 스팸 표시라도 나와 다행이다.

수신 거절을 하고, 갤러리를 여니 여러 사진이 보인다. 지난 여름 중국 상하이에 같이 갔을 때의 사진들이 많다. 이렇게 다정했는데….

사진 지우는 것이 그 사람을 이 세상에서 지우는 느낌이 들어 겁이 나고, 핸드폰 관리에 게으르기도 하여 오히려 추억의 흔적이 그대로 남아 있다.

사진을 이리저리 뒤적이다, 글 쓰는 것을 좋아해서 이나가 수시로 보내준 편지들이 생각나, 이메일도 연다.

한겨울 날의 눈처럼, 우리의 시간들이 내 머릿속에 쏟아져 내려요. 당신 때문에 나의 하루가 반짝거려, 내 마음이 환하게 빛나요. 고마워요, 체리 해.

누군가 내게 물었다.
사람은 다른 사람으로 잊어지는 거냐고.
난 그렇다고 자신 있게 답했다.
그러면, 그 사랑도 다른 사랑으로 잊어지냐고.
나는 곰곰이 생각하다가 '아마도.'라고 했다.
눈이 부시게 빛이 나던 순간들이 많았던 것도 아닌데 그저 범상한 기억들도 특별한 옷을 입고 달에게로 날아가는 이 밤.
나는 그와의 시간들에게 고개를 돌린 채 방 한구석에 앉아서 큰 창문 너머를 바라본다.
그런데 여전히 내 머릿속에는 그가 걸어 다녔다.
"김이배 씨? 이름이 해괴하네요."
당신은 나의 무례한 말에 희미하게 미소 지었다.
"네가 기억하기 쉽잖아."
나는 첫 만남부터 헤어진 그 순간에 그가 했던 말, 그의 목소리, 그 눈빛까지도 다 기억하고 있었다.
다만, 어디서부터가 거짓이고 어디서부터가 진실인지를 모를 뿐이었다.
어느 사이 나는, 사랑을 확인받고 싶어 하는 여자가 되어 있다는 사실 앞에 괜스레 눈물이 났다.
날 그렇게 만든 당신이 싫었다.
그래, 당신은 몰랐을 테지.

내가 짓는 웃음에 가만히 속아줬을 테지.

누군가 그랬다.

사랑이라는 색 안경은 혼자서도 쓸 수 있는 것이라고. 마치, 나눠 쓸 수 없듯이.

당신이 좋아했던, 아니. 내가 좋아했던 중국여행이 생각나. 그날의 공기와 그때의 바람 냄새, 당신의 몸에서 풍겼던 향수 냄새까지도.

눈처럼 내 머릿속에 끊임없이 쏟아져요. 이제는 돌아갈 수도 돌아갈 길도 없는, 나 홀로 있는 이곳으로. 자꾸만 떨어져요.

“난 중국에 여러 번 와서 그리 감흥이 없어.”

“알아요. 나만 느껴서 미안하고 있는 중.”

“대신 특별해.”

“뭐가요?”

“이 밤이 또 네가.”

“그거 작업 멘트인데?”

“몰랐나 보네. 계속 걸고 있는데.”

“우리, 연애해요?”

“체리해.”

“네?”

“낯간지러워.”

“무슨….”

“사랑해.”

누군가 물었다.
"이별의 고통은 언제까지 가요?"
그리고 나의 긴 머리칼을 쓰다듬어주던 당신이 말했다.
"언제나."

이나의 그 이메일 편지를 다시 프린트한다. 내 프린터에서 지금 뽑아낸 편지인데, 코를 대니 그녀의 향수 냄새가, 긴 머리카락의 아침 풀잎 같은 냄새도 난다.

'환각 아니 환취인가? 아직도 미치게 보고 싶은가?'

그 냄새들이 미세먼지보다 더 자욱해지며 내 감각을 마비시키는 것 같다.

'지난 얼마간 잘 견뎠는데 오늘 왜 그러지? 기분 너무 안 좋은 잿빛 날씨 탓인가?'

헤어진 이후로 다른 여자를 찾는 데 전혀 신경 쓰지 않은 것은 아니나, 운이 안 맞는지 이나가 나한테서 완전히 빠져나가지 않아서인지 스테디한 여자가 생기지 않았다.

사실 이나와 지낼 때도 망부석처럼 그녀만 쳐다본 것은 아닌데도 말이다.

전에 이렇게 보고 싶었을 때는 주로 카톡을 보냈다.

그러면, 보통 젊은 여자들과 달리 즉시 답이 오고, 즉시 만나곤 했는데…. 그 빠른 카톡 답은 만나는 내내 나를 정말 기분 좋게 하여 주었다. 카톡이 아직 살아 있나 본다.

'아, 아직 살아있네.'

카톡 프로필 사진에 그녀가 환히 나를 보며 웃고 있다.

전과 다름없어 보인다.

아니, 더 좋아 보인다.

이런, 벌써 다른 남자를 만나는가? 벌써라니, 한참이 지났는데…. 미친 척 한 번 보내볼까? 아니, 전처럼 다소 심각한 내용을 보낼 때는 이메일 편지를 보냈으니, 그렇게 해보지.'

사실은, 카톡으로 보내면 내 환상을 깨는 답이 너무 금방 올까봐 두려운지 모른다.

이메일의 보내기 버튼을 몇 번 건드리다가 결국은 보내지 않는다. 가슴이 다시 답답해진다.

노트북을 켠 김에 유튜브를 여니, '세시봉 친구들'의 '우리들의 이야기'가 있어 플레이 버튼을 누른다.

밝은 음색의 가수들이 화음을 이뤄 부르는데, 조금 듣자니 눈물이 난다.

이나 탓인가, 내가 나이를 먹어가는 모양인가.

특히, '김세환'의 부드러운 소리가 나오니 더 눈물이 난다.

'왜일까? 그건 부드러운 세월이 다시 올 수 없어서인가.'

쿠바 아바나의 '브에나 비스타 소셜 클럽' 노년가수들의 노래를 들을 때도 그렇지 않았는데. 바로 내 얘기를 불러서 그런지 모르겠다.

'그녀가 그리운가.'

나는 내게 묻는다.

내 머릿속에서 빙빙 맴돈다. 그건 나를 더욱 울적하게 만들어, 잿빛 하늘을 바라보게 한다.

오늘도, 난.

당신을 따라가다 보면 그곳이 나온다.

그것은 기억 속에 있는 것이 아니다.

기억과는 다르다. 당신의 투박한 큰 손이 닿아지던 곳에서부터다. 지루한 표정과 멈춰지지 않는 시간과 빛바래진 편지가 있다.

당신은 마치, 나의 행복을 묻는 것 같았지만 나는 대답하지 않았고 그것을 개의치 않아 했다.

당신은 언제나 내 마음을 물었고 나는 의식하지 못했다.

그래서이다.

당신의 투박한 큰 손이 닿기를 지금에서야 바라는 것은.

"늘 그런 식이에요? 당신은 이기적이야."

나는 꽤 그럴싸한 표정으로 그를 닦달했지만 그는 별로 영향받지 않았다.

"그래서 네가 날 좋아하잖아."

그는 내 마음을 수시로 건드렸고 순간마다 의아함에 고개를 기울였다.

"정말 나를 사랑해요?"

그는 묘한 미소를 지었다.

"생각 밖으로 많이."

나는 힘이 들어간 두 주먹을 감추었다.

"원래 여자에게 그런 식으로 말해요?"

이번에는 빙그레 웃었다.

"얼마든지."

나를 사랑했거나, 사랑한 여자들 중 내가 있었는지는 모른다. 당신에게 내가 뭐였는지 나는 제대로 파악할 수 없다.

사랑을 의심하는 순간은 곧 그 남자가 날 사랑하지 않는 순간과 같다.

그런데 당신은 늘 나에게 사랑을 노래했는데 나는 왜 사랑이 보이지 않는다고 말했을까.

어느 사이 나의 커져가는 감정이 주눅이 들기 시작한 것은 나의 마음일까, 당신의 영향일까.

그가 나를 바라본다고 느낄 때는 내 가슴이 뛰었는데 외면받고 있는 지금은 관찰자 시점이 되었다.

남이 된다는 것.

나와는 다른 존재가 되는 것.

당신을 모르기 전으로 돌아갈 수는 없지만 다시 만날 수도 없는 것.

이별, 그 후에.

여름 중국 상하이에 이나와 같이 있다.

푸동과 푸서를 가르는 황푸강 공원에서 강 양변의 불야성을 두리번거리며 좋아하고 있다.

둘이서 손을 잡아 흔들다 내 팔에 손을 둘렀다 하며 강 서쪽 와이탄에 넓게 만들어 놓은 강변공원을 걷는다.

대단한 야경과 공원에 넘쳐나는 사람들과 활력에, 항상 침착한 이나가 보기 드물게 계속 들떠있는 얼굴이다.

그녀가 갑자기 내 입에 뽀뽀를 한다.

꿈결에 입술을 만져보니 아무 것도 없다.

잠이 깬다.

'꿈이었구나?'

조금 정신을 차리고 보니, 재작년 여름에 상하이 같이 갔을 때의 상황이었다.

'내가 요사이 이나 생각을 너무 하나보다. 꿈에까지….'

침대에서 일어나 냉장고로 가, 밀크에 얼음을 넣어 몇 모금 마신다. 속이 시원하다.

'내가 그녀를 갑자기 강렬히 보고 싶은 것이 내재되어 있던 그녀를 사랑하는 마음이 참다못해 폭발한 것인가? 아니면 최근 여자와 만난 적도 별로 없어 그런 욕구가 이런 식으로 분출되는 것인가?'

이리저리 생각을 해보니 어느 것인지 확신은 서지 않으나, 후자로 서둘러 정리한다.

이나와 다시 만나다는 것도 우스워 보이고, 다시 만나준다는 확신도 없다.

그런데 구차하게 그런 과정을 다시 밟는 것도 사실은 번잡하다. 아니, 번잡한 것으로 생각해 버린다.

마음이 다소 진정되며 다시 침대로 향한다.

'내일 다시 생각이 나면, 왜 헤어졌는지 생각해보자. 무슨 문제들이 많았는지도. 그러면 생각이 사라질지도 몰라.'

조금 더 뒤척이다, 다시 잠에 빠진다.

꿈이란 것은 참 이상하다.

꾸고 있을 때는 끝이 없을 것 같았는데 결국은 끝이 난다. 당신과의 시간들과 다를 게 없다. 나는 아직 사그라지지 않은 이 마음을 구부리고 가라앉게 한다.

그러면 더 이상 낮아질 것 없는 곳으로 추락한다.

하지만 깨어나 보면, 꿈. 삶은 바쁘고 시간은 흐르고 세상은 변한다. 그런데 생각보다 우리 눈에 보이지 않는 것들은 쉽게 변하지 않는다.

그것들은 상식을 벗어난 문제이기 때문이다. 논리정연하게 생각할 수 없다. 보이지도 않는 것들을 어떻게 정렬한다는 말인가. 그래서 나는 겁이 난다.

사실, 상처받은 것이라고 할 수 없다.

당신을 이해하니까 그럴 수 없다.

"당신은 못 해요. 그러니까 더 이상…."

나는 그만하라고 말하고 있었고, 당신은 답답해했다.

"내가 널 어떻게 하면 이해할 수 있는데? 내가 뭘 어떻게 해야, 어?"

나는 입가에 걸린 미소를 지우지 못했다.

입안은 비릿함으로 채워졌다.

"이해할 수 없으면 하지 마요. 할 수 있는 게 없으면 하지 않으면 돼."

진심이었다.

나는 이 모든 것을 그만 두고 싶었다.

그런데.

"그래서… 지금 헤어지자는 얘기인가?"

나는 당신이 그래주길 바라고 있었는지도 모른다. 내 불안정한 마음을 잡아달라고 얘기한 것일지도 모른다.

"…그래요. 우리 그만해요."

나는 질끈 두 눈을 감아냈다.

인간은 나약하고 그래서 다른 이가 필요하다. 꽤 많이 비겁하고 그래서 더 타인의 존재가 중요하다.

나는 당신이 내가 하지 못하는 것을 해주길 바랐다. 나는 할 수 없는 일들을 당신은 할 수 있을 것만 같았다.

질끈 감은 눈에서 눈물이 흘러내렸다.

하지만 안다. 다 알고 있다. 내가 원했던 것은 한 겨울날의 눈처럼 당신에게로 쏟아져 내리지 않았다는 것을.

그저 깨어나 보면 끝나 있는 꿈이었다는 것을.

나는 제대로 당신에게 원하는 것을 말할 수도 없는 겁쟁이였다는 것을 알고 있다. 그렇다 해도. 갑작스레 울음이 차올랐다.

나는 커진 눈을 하고는 내 입을 작은 손으로 틀어막았다. 나는 때때로 당신이 마법사이길 바랐다. 내가 말을 하지 않아도 내 마음을 물어봐 주었던 그때처럼.

"이나, 무슨 일 있어?"

그 질문은 어쩌면 마법사가 아니라 해도, 그저 내 마음을 늘 물어보던 그날의 남자처럼.

"난 언제나 네가 궁금해."

내가 원했던 것은 사실 마법사가 아니었다.

그저 원했던 것은 이상이 있던 내 마음을 알아보던 마법이 아니었다. 내가 당신에게 원한 것은, 당신이었다. 당신의 그 마음이었다.

하지만 왜 더 이상 물어보지 않았는지. 내 불안함으로 가득 차 있던 이 마음을 왜 궁금해 하지 않았는지.

불만은 확신이 되어 굳어갔다. 아름다운 이야기는 달에게로 날아가기 이전에 추락하여 꼬꾸라지고 말았다. 한겨울 날의 쏟아지는 눈은 콘크리트 바닥에 쌓여서 더러운 물이 되었다.

나는 당신의 그 푸르른 눈빛이 나를 향하는지를 물었다. 날카로운 코끝이 나를 보고 있는지를 물었고, 그 새빨간 입술이 날 부르는지를 듣고 있었다.

관심은 좀을 먹고 집착을 불렀다. 나는 무언가 잘못 되었다고. 내가 바랐던 것이 무엇이었는지를 잊어버렸다.

불만에 대한 확신은 시간이 지나자 변질되고 확산되어 오늘날의 불행을 만들었다.

나는 이제 꿈에서 깨어났다.

어차피 끝이 난 것이라면 처음부터 없었던 것이 될 수 있다. 인간은 진화하고 생각 또한 바꿀 수 있었다.

나는 이제 깨어났다.

당신이라는 꿈에서.

드문드문 기억할 당신이라는 꿈속에서 말이다.

내일 밤 다시 꾸어도 어차피 깨어날, 그 다음 날 다시 꾸어도 어차피 끝이 날 그런 꿈에서 말이다.

하루 종일 바쁘게 돌아갔다.

회사에 오면 정신이 없다. 아마 직책과 나이가 회사에서 일을 제일 많이 해야만 할 상황이라서 그런지.

정신이 없으니, 이나 생각할 겨를도 없다.

일하는 중간 중간 어제 꿈과 이나가 떠오르긴 했으나, 일에 밀려서 연기처럼 사라졌다.

퇴근 무렵이 되니 맥도 풀리고, 사라졌던 그녀 생각이 귀신처럼 다시 스며든다.

'그래 이래저래 술이나 한잔 하자. 누구 부르면 그 얘기 듣다 하다로 술자리가 끝날 수 있으니, 오늘은 혼자서.'

그리고 보니 밖에서 술 마시는 것도 오랜만인 거 같다. 물론 집에서 와인 한두 잔이야 했지만.

'어디로 갈까?'

혼자 마시기에 꽤 적합해 보이는 집 동네 어귀의 이자까야로 간다. 말 그대로 이자까야다.

"아, 요새 잘 안 보이시더니. 어서 오세요. 중국 출장 다녀오셨어요?"

꽤 단골이다 보니, 오랜만에 갔는데도 주인인 엄 사장이 반갑게 맞이한다.

중국을 이래저래 많이 가니 안 보이면 중국에 간 거로 그냥 생각하나 보다.

오면 앉는 자리보다 오늘은 작은 방이 좋을 것 같다.

"나 혼자인데 방에 앉아도 되나요?"

"그럼요."

간소한 다다미방에 들어와 앉으니, 오늘은 옆방이 비어 있는지 제법 조용하다.

"항상 드시는 히레사케…. 안주도 새우튀김으로 할까요?"

단골집에 오면 이런 게 편하다.

뭐 따로 주문할 필요가 없다.

'가만 있자 이 방에서도 이나와 같이 술 마신 적이 있네.'

그 생각으로 이곳에 온 것은 절대 아닌데, 내가 잘 가는 곳을 그녀도 거의 다 간 거 같다.

어찌 보면 당연한 거네.

그렇지 않아도 스멀스멀 생각나던 그녀와 어제 꿈이 생생해진다. 술도 마시기 전에.

같이 오면 지금 자리에 나란히 앉아 바닥 밑 다리 뻗는 공간에서 애들처럼 발장난을 하던 장면까지 떠오른다.

이곳에 술 마시러 잘못 온 것인가?

어제 꿈 내용만도 벅찬데 이런…. 미닫이문이 열리며 히레사케와 안주가 들어온다.

"오늘 혼자 방으로 들어오시더니 무슨 생각이 많으시네요."

엄 사장이 끼어든다.

"뭐 여자 생각하는 거지요."

나도 모르게 너무 솔직한 대답을 한다. 주인한테 무슨 조언을 기대하고 있는지도 모른다.

히레사케를 한 모금 들이킨다.

"아, 전에 종종 같이 오시던 분하고 요새 안 오시는 걸 보니, 그 분이죠?"

대답 대신 술을 한 모금 더 마신다.

"뭘 그리 생각하세요. 과감하게 다시 만나자고 하시든가 아니면 훨훨 털어버리세요. 김 선생님답지 않게. 그 여자 분도 그리 생각하고 있나 모르겠고, 세상에 여자는 많아요."

엄 사장이 당연한 말을 쉽게 해주는데, 갑자기 마음이 편해진다. 다소 식은 히레사케를 벌꺽벌꺽 들이킨다.

이나는 지금 무엇을 하고 있을까.

생각은 꼬리를 달고 높게 나아간다. 나는 달아오른 얼굴을 두 손으로 매만졌다. 취기는 오르는 생각을 따라 연기처럼 공중으로 피어난다.

그녀도 내가 그리울까.

그날은 비가 왔다.

차로에는 많은 차들이 빼곡하게 줄을 서 있었고, 나는 빨간 신호를 바라보고는 시큰둥한 얼굴로 있었다.

붙잡은 파란 우산 아래로 쏟아지는 빗방울들이 때때로 우산 안으로 들어왔고, 우산에 가려 보이지 않는 하늘은 불투명한 구름들이 듬성듬성 있었을 것이다.

그랬다. 분명 범상한 하루였다.

"전화를 하면 좀 받지?"

나는 얼굴에 올려든 휴대폰을 조금 떼어내면서 작은 숨을 내쉬었다.

"비가 와서 벨소리를 못 들었어. 지금 신호등이야."

휴대폰 너머로 친구의 낮은 숨이 내쉬어진다.

"다음에는 30분 늦게 나올 거야. 널 기다리느니 미용실에서 블랙커피 네 잔을 먹지."

나는 낮게 웃음을 터트리고는 초록 신호를 확인하면서 발을 내렸다.

그때부터였다. 들리는 빗줄기 소리가 유난히 작게 들리기 시작한 것은.

나는 우산 속에서 고요함과 함께 걸었고, 내리는 비는 그것을 도왔다.

멈춰있는 차들은 조용히 숨을 죽였고 내 뒷모습이 완전히 작아질 때까지 클락션은 울리지 않았다.

친구가 좋아하는 인도 음식점의 노란 간판이 내리는 빗줄기

사이로 보였다.

그리고는 갑자기 시야에서 흐릿해지더니 그 노란 간판을 가리는 큰 형체가 미동조차 하지 않은 채 서 있었다.

그래. 아무런 움직임이 없었다.

나의 두 발은 점점 속도를 줄이다가 멈춰 섰고 우산은 뒤로 밀려나, 올려든 내 멍한 얼굴로 이배를 올려다봤다. 그때 내 얼굴의 표정은.

"…좋아 보이네."

까만 머리칼이 더 자란 이배는 알 수 없는 얼굴로 인사를 한다. 나는 머릿속이 하얗게 비어 버렸지만 열려 있는 입술은 제멋대로였다.

"좋아요, 나는."

이배의 주변에서는 비 냄새와 그가 쓰던 향수 냄새가 풍겼고, 빗소리는 무슨 영문인지 들리지 않았다.

그리고 이배의 얼굴에서는 희미하지만 분명한 미소가 지어졌고, 나는 시간이 느려지고 있다는 사실을 머릿속에서 지워 버렸다.

"그래."

그리고 클락션이 울렸다.

우산 속에서는 빗방울들이 투둑투둑 떨어지는 소리가 들렸다. 내가 정신을 차리고선 황급히 뒤를 돌아섰을 때는 이배의 검은 형체가 이미 내게서 멀어지고 있었다.

나는 아직도 멍한 얼굴로 빗속에서 홀연히 서 있었다.

어느 오후 겨울 빗속에서 말이다.

아직도 가슴이 두근거린다.

요 며칠 그리 생각이 나더니. 얼마 전 나 나름대로는 정리를 했는데, 잉크도 마르기 전에 홀연히 모습을 보이고 빗속에 사라져 버렸다.

하늘의 조화인지 인연인지 알 수는 없으나, 그렇게 스치고 그렇게 지나갈 것을 왜 그리 생각하게 하고 왜 그리 만나게 해 주셨는지 모르겠다.

'누구 핑계는… 자기가 말도 한 마디밖에 못 하고. 뭐하다 들킨 사람처럼 황급히 멀어져가고는.'

꿈에 보이면 진짜 보인다더니, 하여간 모습은 보이고 지나갔다. 전혀 예상치 못한 영화 같은 장면으로.

전혀는 아닌지도 모른다.

전에 같이 자주 가던 그 인도 음식점이 생각나, 아니 그녀가 생각나 그리고 내가 인도 가면 제일 좋아하는 캐슈넛 카레가 생각나, 그 집에서 제일 비슷한 병아리 콩 카레를 주문하여 자주 앉았던 자리에 혼자 앉아 청승맞게 먹고 나오는 길이었다.

역시 공유하던 장소가 많으니, 결국 만나게 되는 자연의 법칙인가.

이나의 얼굴이 나쁘지 않아 보였다.

솔직히 기분이 좋지 않았다.

삼류소설 이야기처럼 보이나, 동물적인 본능이다.
'나와 헤어졌으면, 얼굴이 좋을 수가 없는데….'
좋은 남자가 생긴 모양인가?
요새 추세처럼 남자를 초월했나?
잠시라도 만난 것이 주었던 기쁨과 벅참은 잠시고, 전보다 더 깊은 혼란의 수렁에 빠진다.

아직도 비가 보이는 사무실 창문 앞에서 서성거리다, 책상 앞의 의자에 몸을 던지며, 그때의 상황을 다시 더 천천히 리플레이해 본다.
눈에 익숙한 이나의 우산.
늘씬하고 호리호리한 모습.
그러나 그녀도 분명 평상의 상태는 아니었던 것 같다. 뜻밖이고 우연한 만남이 주는 일반적 놀람 이상의 반응이 있었던 것 같다. 아니, 그렇게 생각해 버린다.
그렇다면 좋은 남자가 생겼느니 하는 생각은 기우 같기도 하다, 설사 있더라도 나에 대한 감정이 더 특별할 수도 있지 않은가?
의자가 주는 편안함 때문인지 모르나, 점점 내가 좋을 대로 결론을 내린다.
'적당한 때 연락을 해볼까, 아니 그녀에게 연락이 올지도 몰라….'
마음대로 낙관적으로 그리고 비관적으로 머릿속을 가득 채우며, 책상 위에 놓인 일들을 시작한다.

어둑한 밤, 비가 물을 붓듯 쏟아져 내리고 있었다.

골목길을 유일하게 비추는 가로등에는 희미한 불빛만이 새어나왔고, 그 아래에는 공중전화 박스가 있었다.

공중전화 박스 안에는 취한 듯 비틀거리며 자세를 바로잡는 이배가 있었다.

소꿉놀이를 하던 미국의 친구가 있었다.

이배의 어린 시절은 대부분 미국의 유모 옆에서 보냈고 그 때 유일하게 어울리던 키 작고 예쁜 친구는 어느 사이 여자가 되어 있었다.

얼굴에 취기가 오른 이배는 그 푸르른 눈으로 허공에 시선을 던지다가 이때다 싶은 사람처럼 수화기를 얼굴 가까이 들어올려서 번호를 눌렀다.

"It's me, IBae."

(나, 이배.)

수화기 너머에서는 아무런 소리가 들려오지 않았다. 이배는 쓴웃음을 지었다.

"I am passing a phone, which makes me call you. I am quite drunken."

(지나가는데 전화가 있어서. 나, 취했어.)

"Where are you, now?"

(너 어디야, 지금?)

이배는 음울한 얼굴로 미소를 지웠다.
"Julie. I really want to see you without reason…."
(줄리. 네가 너무 보고 싶어. 그냥.)
"What about INa?"
(이나는?)
이배의 입가가 길어졌다.
"…Gone. Disappeared. All broken."
(없어. 사라져 버렸어. 다 부서져 버렸어.)
수화기 너머에서 낮은 숨이 전해졌다.
"IBae. Don't lose her, do you? you are so brave."
(이배. 그녀를 놓치지 마. 알지? 넌 용감해.)
술 취한 얼굴로 어둡게 웃던 이배는 피식 웃음을 터트렸다.
"If I cannot go back. Julie. I am coward."
(돌아갈 수 없다면. 줄리. 난 겁쟁이야.)
"Restart. If you cannot go back, you should do it again from the beginning. you can do it, IBae."
(다시 시작해. 돌아갈 수 없다면 처음부터 다시 시작하는 거야. 넌 할 수 있어, 이배.)
이배는 웃음기를 지우고 슬픈 얼굴로 줄리를 불렀다.
"Julie, I desire to see you so much."
(줄리. 네가 너무 보고 싶어.)
이래서는 안 된다는 것을 안다. 희망은 잔인하기에 그녀에게 주어서는 안 된다는 것을 알고 있었다.

하지만 줄리는 현명한 인간이기도 했다.

"…Go back to INa. Tell her what you told me. IBae, you are so strong. Don't forget that you should restart."

(이나에게로 가. 그녀에게 그렇게 말해. 이배, 넌 강인해. 잊지 마. 다시 시작한다는 걸.)

이배는 술에 취해 비틀거리는 몸을 공중전화 박스 부스 면에 갖다 붙였다.

겨울비는 이상했다.

이배는 잠시 수화기를 내려놓고는 밤을 구경했다.

어느 사이 빗줄기는 가늘어지고 달은 그만큼 더 자세히 눈에 들어왔다. 인간의 내면으로 비를 뿌리는 건 반칙이었다. 달, 그 주변에 머물러 있는 것은 범죄였다.

이배는 어두운 얼굴로 비스듬히 고개를 기울여서 밤하늘에 뜬 달을 바라봤다. 달은 인간의 내면 깊숙이 내재되어 있는 본능을 깨웠다.

어느 연구결과, 만월이 뜬 밤 범죄율이 높아진다는 이야기도 있었다. 그의 눈빛은 달에게로 날아가 겨울밤을 녹였다. 녹아든 무언은 비가 되어 내렸다.

다시, 비가 내렸다.

## II. 그대를 부르면 지금 올 수 있어요?

중국 상하이 푸동의 동방대도(동팡다다오, 東方大道) 금융 중심 거리의 초고층 오피스 빌딩 50층이다.

주변은 초고층 빌딩의 숲이다. 저만치 황푸강과, 더 멀리는 상하이 구도심도 보인다.

한 달 전 회사 상하이 지사에 승진과 더불어 파견되었다. 일 년여 회사일로 너무 바빴고, 보람도 많았다. 다른 생각이 비집고 들어올 틈이라고는 없었다.

그 보상이랄까, 내가 수시로 출장 다니던 중국, 그것도 제일 좋아하는 상하이에서 얼마간 일하게 되었다. 부임해서도 일 배우느라 정착하느라 다시 한 달 정신없이 보냈다. 잘 아는 지역이라고 해도 배워야 할 게 너무 많았다.

오늘 저녁은 중국 관련 회사 사람들과 미팅이 있다. 내가 부탁해야 하는 상황이라, 일부러 꽤 일찍 도착하였다.

예약된 방으로 안내받는다. 물론 아직 아무도 안 왔다. 차 한 잔 하며 기다린다. 이 방은 분명 처음인데, 들어오면서 본 현대식 중국음식점 홀이 눈에 익다. 일부 리모델링을 한 것 같기는 하나….

'언제? 누구와?'

이리저리 생각을 해본다. 금방 떠오르지 않는다. 차를 마시고, 홀 근처 화장실을 다녀오는데 생각이 난다.

'아. 거기구나.'

수년 전 이나와 푸동 구경 왔다, 그녀가 인터넷으로 검색하여 맛집 알아내어 겨우겨우 찾아 저녁식사를 했던 퓨전 스타일 중국음식점이다.

'세상에….'

한 번 온 것이고, 그때는 이나가 주가 돼서 찾아왔기에 금방 알아채지 못했다. 한참 동안 뇌리에서 사라졌던 이나라는 이름과 모습이, 알라딘 요술램프의 요정처럼 솟구쳐 나온다.

'아. 이런 식으로 다시….'

"안녕하세요?"

어색한 한국어다.

요정에 대한 상념에서 고개를 드니, 만나기로 한 중국회사 사람들이 방으로 들어선다.

아는 사람 둘과 잘 모르는 중국여자 하나.

"Welcome."

(어서 오세요.)

악수를 나눈다.

중국어도 아주 능숙하지 않고, 비즈니스를 할 때는 영어로 하는 것도 나쁘지 않아 영어로 답한다.

여자 앞에서 머뭇거리니, 중국회사 장(張) 매니저가 나선다.

"우리 회사의 재색 겸비 사원이에요. 그 회사 일도 할 거 같아, 인사차 같이 나왔어요."

"Nice to see you."

(반갑습니다.)

"I am Luqing(루칭, 노청, 魯靑). Please take good care of me."

(루칭입니다. 잘 부탁합니다.)

깔끔한 영어다. 신선한 냄새와 끌림이 느껴진다.

여기 지사 일이 더 재미있어질 거 같아진다. 알라딘 요술램프의 요정이 도로 램프로 들어간다.

"이나 씨. 우리 좀 더 얘기를 해요."

귀찮은 듯 귀만 후비는 이나를 바라보고 한숨을 내쉬는 남자가 있다. 이나는 그런 남자에게 무미건조한 표정을 지은 채 입을 연다.

"나도 섹스 해요. 근데 당신 취향은 허접… 아니. 변태 같다니까요?"

남자는 죽을상이다.

"뭐가 변태라는 겁니까? 때려달라는 것도 아니고 그냥 조금 웃어주는 게, 그게 말이에요?"

이나는 진절머리가 나는 듯 고개를 두 번 흔들었다.

"여자가 밑에 있을 때 남자는 정복의 느낌을 갖죠. 반대로 여자는 어떨 것 같아요? 그런데 웃어라? 다리 늘어트리고 있는 것도 힘든데 거기서 비실비실 웃어라?"

"이나 씨. 말 좀 가려서 해요."

카페 안. 모두의 이목을 집중시키던 두 사람은 주변의 웅성거림을 알아채고는 연거푸 헛기침을 내뱉었다.

단, 이나는 그런데도 고개를 반듯하게 세운 채 말을 이었다.

"이름도 모르는 사람들의 생각은 중요해요? 난 그날 밤 머리에 폭격을 맞은 것 같았다고. 인상 쓰지 말고 웃어라! 눈 감지 말고 웃어라! 내가 섹스하면서 얼굴에 경련 일어날 일 있어?"

보다 못한 남자는 이나의 큰 목소리와 주변의 뜨거운 시선에 자리에서 벌떡 일어나서는 이나의 입을 큰 손으로 막아냈다.

이나는 그것을 쉽게 뿌리치고는 앉은 자리에서 일어나, 창피한 얼굴이 되어 있는 남자에게 시선을 주면서 말했다.

"스킬이라도 좋던지. 개풀 뜯어먹는 소리하네."

카페 안. 이곳저곳에서 작은 웃음이 터져 나왔지만 어쩔 줄 몰라 하는 남자와는 다르게 이나는 무표정으로 발걸음을 옮겨서 카페를 빠져나왔다.

집에 왔다.

와서 화장을 지우지도 않은 채로 노트북을 켜서 글을 쓴다.

오늘은 조금 피곤한데 이상한 변태 자식을 만나서 에너지를 소비했기에 우울하기도 한데 당신이 생각난다.

내가 좋아하는 사람이 나를 좋아하는 일은 기적과도 같은 일이라던데. 그 기적에서 벗어난 오늘도 난 당신 생각을 한다.

따뜻한 품과 낡은 베개, 좁은 방.

웃음기 가득했던 순간과 사뭇 진지했던 당신의 얼굴. 나를 안을 때, 떨리던 손과 불규칙적으로 내쉬어지던 당신의 숨결, 그리고 진지한 얼굴.

내가 외로워서 당신이 생각나는 게 아니야. 당신의 부재로 내가 외로운 것이지. 내가 서툴러서 당신을 잃은 게 아니야. 우리의 사랑이 처음이라 미숙했던 것일 뿐이지.

여러 번 올 수 있던 사랑이 아니었어.

그래서 처음이라서, 처음이라서.

주님. 어려울 때만 찾는 이 못남을 넘어가 주세요. 내게 주시던 시련을 오늘만 넘겨주세요.

때때로 찾아오는 불행이, 아버지. 나는 너무 힘이 들어요. 내 마음 하나 둘 곳 없는 이 세상이, 아버지. 너무 힘이 드네요.

나를 언제나 지켜보시는, 주님.

내게도 크리스마스를 주세요. 산타클로스는 내게도 오겠죠. 한겨울 날의 내리는 눈처럼, 주님.

내게도 크리스마스를 줘요.

그 중국회사와의 일이 확대되며, 루칭과 연락할 일, 만날 일도 많아지고 있다.

그렇다고, 개인적으로 아주 친해진 것은 아니다. 같이 식사나 술 몇 번 하고, 중국식 노래방인 케이-티비(K-TV) 한 번인가 간 정도다.

사람들과, 특히 여자와 관계를 맺는 데 신중한 성격인 점도 있고, 이나와의 끊어진 듯 아닌 듯 어정쩡한 관계도 작용하고 있는 듯하다.

그 요술램프의 요정이 아직도 가끔 튀어나와 내 주위를 서성대다 다시 들어가곤 한다.

시간과 장소가 달라지면 많은 것이 변한다.

사실 어떤 것은 아예 사라지기도 하고, 다른 것은 모양이나 용도가 달라지기도 한다.

그럼에도 불구하고, 어떤 것은 그대로 남는 것도 있다. 이런 것들을 생각하고 바라보면, 인생 자체와 같이 눈가에 물기가 맺히고 가슴이 저려지기도 한다.

중국에서 한국에 있는 사람을 어찌 하겠는가?

마음을 일에 더 쏟기로 하며, 중국여자와도 좀 더 친해보기로 한다.

"오늘 시간 돼요?"

"7시에나 끝날 것 같은데요…."

"그럼 내가 그 회사 앞 커피숍으로 갈게요. 좋은 데 가서 식사하지요."

커피숍에 도착하여 빈자리에 앉자마자 중국판 메신저인 '위챗(WeChat)'에 뭐가 왔다. 루이다.

"오셨으면, 커피 마시지 마세요. 곧 가니, 음식점으로 그냥 나가죠."

“오늘은 좋은 중국음식점 어때요? 시내 중심가에 내가 전에 초대받아 가본 좋은 데가 있는데….”

“화샨(화산, 華山)로에 ‘딩샹화엔(정향화원, 丁香花園)’인데, 가본 적 있지요?”

“없는데요. 상하이에 산 지 여러 해 되었지만, 공부하고 일이나 하고 지내서 말로만 상하이 사람이에요.”

‘딩샹화엔’은 청나라 말기에 지어졌는데, 멋있고 많은 라이락(정향, 丁香)이 심어진 넓은 정원이 딸린 저택이 고급 음식점으로 변한 것이다.

지금도 잘 관리되고 있는 정원을 제법 걸어 들어가야 음식점 건물이 나온다.

“상하이에서 헛살았나 봐요. 이렇게 좋은 음식점이 있는 것도 모르고.”

루의 항상 차분한 목소리가 조금 높아진다.

만족스럽다 못해 다소 흥분되어 보였다.

가볍게 손을 잡는다.

“너무 기대돼요. 그런데, 제가 안내해야 할 것을, 외국인한테 오히려 안내를 받으니 죄송해요.”

“루는 아직 신입사원이라 그렇고, 앞으로 더 좋은 거 많이 경험할 거예요.”

잡은 손에 저절로 힘이 가해졌고, 루은 순간 움칠하더니 그대로 있다.

음식점은 아주 붐비지는 않았으나 꽤 많은 수의 테이블이 차 있다. 예약 석은 창가에 정원이 내다보이는 좋은 자리다.

"이 집이 상하이 게 요리로 특히 유명한 곳이니, 제 철은 아니지만 게 찜 요리 하나 하지요. 추가로 시키시고."

"그리고, 좋은 레드 와인 시키지요. 중국 것으로. 창청(장성, 長城) 와인이 좋겠네요."

웨이트리스가 능숙한 솜씨로 와인 코크를 딴다.

화려하게 투명한 와인 잔에 선홍의 액체가 미끄러지듯 담겼다. 와인 잔 부딪치는 소리가 경쾌하다.

조명이 운치 있게 된 정원을 잠시 내다보았다.

아름다운 밤이다.

요리들이 나와 덜어 주기도 하고 덜어 받기도 하며, 와인 건배도 간간히 하고. 끊임없이 이런저런 얘기꽃을 피운다.

둘 사이에 다소 남아 있던 어정쩡함도 꽤 사라져, 이제 제법 연인들 같이 보인다. 둘러보니 테이블들이 많이 비었다.

루는 아직도 일어날 기미를 전혀 보이지 않는다.

이 상황이 나쁘지 않다는 의미인가.

"정말 좋은데요. 고급 요리네요."

"이제 남은 와인 마시고 장소를 옮겨볼까요?"

정원을 가볍게 손을 잡고 걸어 나온다.

그녀의 손에서 부드럽고 편안한 감촉을 느낀다.

손님이 많이 빠져서인지, 정원 길옆에 주차되어 있던 차들이 많이 줄었다.

바람이 세지고, 빗방울도 비친다.

"아까는 날이 너무 좋았는데, 비가 오네."

비가 점점 굵어진다.

잡은 손으로 가볍게 루를 끈다.

다행히 큰 길 가에 빈 택시가 서 있다. 시간이 꽤 되었고 비도 와서, 일단 루가 살고 있는 쪽으로 이동하기로 한다.

약간씩 열어 놓은 차 창문으로도 들이치는 바람이 제법 세고 춥다. 창문을 닫아 달라고 하려다, 택시기사가 손님 기다리며 차에서 담배를 많이 피웠는지 냄새가 짙어 그만 두기로 한다.

루가 추워하는 것 같다.

루의 허리를 조금 세게 안아 준다.

순간 멈칫하다, 오히려 내 편으로 약간 몸을 기댄다. 루의 머리에서 나는 풀잎처럼 신선한 샴푸 냄새가 내 코를 즐겁게 한다. 긴 머리칼 몇 올이 내 얼굴을 간질인다.

기분 좋은 고통이다. 그녀 몸에 온기가 돌아왔다. 두 몸 사이에서 더위가 느껴진다.

그러나 아무리 더워도 뗄 생각이 없고, 요술램프의 요정도 순간 보이지 않는다.

아주 어려울 것은 없었다.

너를 떠올리다가 다시 내가 상처받는 순간으로 돌아가서 다시 널 떠올리며 고개를 젓는 일.

우리는 이미 끝이 났다고 내가 나에게 미소하나 던져주는 일. 그것은 어느 지하철역 다리 병신에게 던져주는 동전만큼이나 값졌다.

빛은 어둠으로 인해 존재한다.

어둠과 더한 어둠이 부딪쳐서 빛이 만들어졌다. 그러기에 너에 대한 어둠이, 그 기억이 내게 절대적으로 어둠으로 다가오지 않는다.

그래서 문제다. 불행한 기억은 시간이 지나면 아름다움으로 승화가 된다. 그래서 문제다.

내가 너를 잊을 수 없는 일. 나는 작은 조소를 지었다.

그 것은 절대적인 불행이었다.

나는 살아오면서 몇 가지 이치들을 알았다. 인간은 나이가 들면서 자아가 성숙되고 사회의 틀 안으로 들어오면서 자신이 사랑하는 것들은 점점 줄어든다.

어렸을 때는 동네 강아지도, 예뻐할 때만 찾는 인형도 모두 사랑하고 좋아하는 것들이었는데도.

나를 행복하게 만들어주는 관계가 슬프지만 네가 유일했다는 것도. 나의 하루를 사랑스럽게 꾸며주었던 이가 네가 유일했다는 것도 전부 다 불행이다. 그런데.

나는 그 불행을 사랑한다.

너에게 상처받은 나의 마음이 너무도 사랑스러워 난 오늘도 운다. 내 무미건조하던 표정을 내 삶을 오만가지 표정으로 바꿔주었던 너를 사랑한다.

나는 진정으로, 내 인생을 불행하게 만들어준 너를 동경한다. 나에게 상처를 주고도 나에게 사랑을 말하던 너의 미숙함을 사랑한다.

내게 싫음을 말하면서 슬픔을 감추던 너의 깊은 마음을 사랑한다. 너의 그 오만함을 사랑하고 그러므로 언제나 자신만만했던 너를 동경한다.

나는 너를 사랑할 수밖에 없다.

이 일은 네가 나에게 준 첫 번째 선물이다.

처음부터 마지막 그 순간까지, 오늘날 이 순간까지. 나는 네가 너무 사랑스러워, 눈물을 지을 때에도 너에게 전하지 못한 말이 있다. 너무도 고맙다는 말. 사랑한다는 말.

나는 네가 너무나 그립다.

아직도 넌 내 안에서 살아가고 있다. 그런데.

이것은 나의 마음이다. 이 생각은 내 생각이고 이 마음은 나만의 것이다.

너는 나와 다른 인간이고 생명체다.

너는 내가 태어날 때까지만 해도 운명이 아니었다. 너는 내일 죽어도 그 옆에 나는 없다. 그 거리는 지구 반 바퀴를 돌아도 닿지 못할 만큼이나 먼 거리다.

그래서 나는 이 마음을 봉인시키기로 했다.

내일이 되어도 내일 모레가 되어도 그 다음 날이 되어도 나는 절대로 꺼내지 못할 깊은 곳으로 묻어두기로 했다.

너를 사랑하니까. 그러기로 했다.

나는 너를 아직
사랑하니까.

사무실에서 분석 작성을 마치니 목이 뻐근하여 스트레칭을 하며 창가로 간다.

뿌연 하늘이 아침부터 계속이다.

바로 강 건너 푸시 쪽도 제대로 보이지 않는다.

창 저쪽에 루가 미소 짓고 있다. 같이 미소로 응답하는데, 뿌연 저쪽 더 멀리에 다른 무표정한 얼굴도 희미하게 떠있는 것이 보인다.

직감적으로 이나라는 것을 안다.

루로 인해 상하이 생활이 제법 활력 있게 되었으나, 이나의 흔적이 절대 사라진 것은 아니다.

요정과 같이 아직도 내 근처에서 번쩍거리다 사라지고, 사라졌다가 홀연히 보이기를 반복한다. 자기 멋대로.

회사에서 상하이 파견을 결정하였으나, 나 나름대로는 이나와의 별리에 가슴 답답하던 차에 일단은 환경을 바꿔보자는 것도 있었다.

그런데도, 아직 크게 나아지지는 않고 있다.

루하고 같이 있는 길지 않은 시간들을 제외하고는…. 나도 모르게, 이상한 사람이 되어 있다.

'국제 미아라는 표현이 맞겠는가?'

한국의 이나를 쿨하게 피하기 위해, 중국의 루에 매달려 떨어지지 않으려고 손에 힘을 주고 있는 형상이다.

남녀 관련되는 중국 문화도 아직 잘 모르면서.

'한국에서 해결해야 될 일이었나? 쿨 한 척은 그리하더니.'

"김 팀장, 무슨 일 있어요?"

무슨 소리인가, 잠시 머뭇거린다.

아, 지사장 목소리다.

"네, 오셨어요? 창밖 구경이 너무 재미있어서 잠시 넋을 놓았습니다. 죄송합니다."

"뭐가 그리 재미있었어요?"

"셀 수 없이 많은 빌딩, 많은 차, 많은 사람. 그 속에 또 얼마나 많은 얘기가 있을까 하는 쓸 데 없는 생각에 잠시 빠져 있었습니다."

"싱겁긴. 역시 글 좀 쓰는 사람이라 다르기도 하고. 그건 그렇고, 분석은 어찌 되었나요?"

그는 내 분석 파일을 받아 가지고, 자기 방으로 돌아간다.

다리가 이제야 뻐근하다. 한참 서 있었다.

의자에 몸을 던지고, 목으로도 헤드 레스트를 누른다. 아무래도 오늘도 마약을 맞아야겠다는 생각이 든다. 루가 가지고 있는 마약.

"근무 중일 텐데, 전화를 빨리 받네요. 오늘도 보고 싶어 전화했어요. 이따 시간 괜찮아요?"

"오늘 친구 만나기로 했는데…."

"아, 오늘 보고 싶은데. 얼마 안 되었는데도 왜 이렇게 보고 싶죠?"

루가 웃는다.

"오늘 꼭 만나야 하는 친구는 아니니, 제가 양해를 구해볼 게요."

고맙다.

점점 더 루에 매달리려 손에 힘을 더 주고 있는 모양새다.

'오늘도 커피숍, 음식점, 술이 반복되나? 오늘은 뭔가 더 진전이 있어야 하지 않을까? 그래야 힘을 덜 줄 수 있을 것 같고.'

그러나 진전의 종착역은… 겁이 나기도 한다.

역설적이다. 이러다 이나를 아주 잊을까, 아니 그녀를 떳떳하게 다시 만날 수 있을까 하는 생각이 뇌리에 감돈다니. 그녀도 나 같은 생각을 하고 있을 리가 전혀 없는 데 말이다.

다시 혼란이다. 이럴 때는 우선 일에 집중하는 것도 좋은 방법이었다. 컴퓨터에 도착한 서류들을 점검하기 시작한다.

밤이 찾아왔다.
내 마음에도 밤이 찾아온다.
깊은 밤, 푸르른 새벽이 나를 깨운다.
그러면 네가 나에게서 멀어지지 않는다.

너는 언제나 나의 곁에 있다. 내가 잠들지 못하는 밤에도 나의 안 어디 언저리에 존재한다.

너는 나를 깨운다.

처음 만난 그 순간도 널 알고 나서 나의 시간들도 모두 다 살아나게 했다.

너는 어디에서 왔을까.

나의 이 작은 마음들이 너를 향해 묻는다.

그러면 너는 가만히 웃다가 우주를 향해 손가락질한다.

그런데 나는 고개를 젓는다.

그렇다면, 네가 저기에서 왔다면. 왜 나의 이 작은 마음들을 알아보지 못했던 거지. 나의 그 눈빛을 왜 몰라봤던 거지.

나는 사그라지지 않는 목소리로 네게 말을 건다.

떠난 사람아.

남겨진 이보다 뒤돌아서는 이가 더 힘들다는 것을 안다.

우리는 완전하지 못했기에 그 고통들이 아름다운 것을 안다. 나는 너의 머리에 물음표를 남긴 채로 널 뒤돌아서게 했다는 것도 알고 있다.

그래서이다. 우리의 안녕이 소중한 것은. 너를 갖고 다시 잃는 것이 대단한 일인 것은.

되도록 멀리 내 손길이 닿지 않는 곳으로 네가 가버린 것이 오늘날 얼마나 내게 큰 위로가 되는지.

아침이 왔다.

깨끗한 바람과 온기가 내 마음에 찾아온다.

다시금 그 밤을 그리워한다.
나는 이 아침에.

이나는 살고 싶지 않았다.
먹고 싶지도 않았으며, 자신이 살아가야만 하는 이유를 찾지 못했다. 나는 그녀를 이해한다.
매일 밤 땅이 꺼지면 저 깊은 곳에서의 숨이 내쉬어지고 홀로 지새우는 새벽을 뜬 눈으로 보내던 그녀를 이해한다.
사실상 아무런 방법도 없었다.
최선을 다하는 방법조차 없었기에 아무런 것도 할 수 없었다. 삶을 대하는 방법의 최선은 상대적이었다. 그리고 그녀에게는 그 상대적이라는 생각이 용기를 주었다.
인간은 나약하고 그래서 소속감을 필요로 한다.
자신의 존재를 확인하는 방법은 소속감을 통해 안정을 찾을 때다. 그것만큼 편안을 주는 것은 없다.
이나도 그것을 알고 있었다.
내가 살아있다고 누군가의 눈을 통해 보고 누군가의 입을 통해 듣고 누군가의 귀에 속삭여 주는 일만큼 멋진 일은 없었다.
이나도 그것을 잘 알고 있었다.
하지만 어둠이 왔다. 밤이 찾아왔다.
이나는 홀로 있었고 그 새벽을 지새우기에는 지켜봐주는 누군가가 없었다.
그래서 나는 이해한다.

너무나 따분한 시간이었을 것이다. 삶에 대해 혼자 논의한다는 것은. 그저 뜬 눈으로 지나보내던 새벽 밤이 아니었을 것이다. 치욕을 들추고 벗은 몸을 마구 손가락질하는 그런 밤이었을 것이다.

그래서 나는 이해한다.

푸르른 새벽 밤.

이나는 미리 준비한 노끈을 벽에 튀어나오도록 설치된 걸이에 걸었다. 이나의 표정은 소꿉놀이 하던 어느 때처럼 호기심이 가득했다.

걸이에 걸어놓은 노끈을 확인하던 이나는 잠시 뒤 냉장고가 있는 부엌으로 향했다.

신이 있다고 믿는 편보다 어려울 때만 찾는 편이었다. 이나는 색 없는 얼굴로 냉장고 문을 열었다. 보이는 것은 유통기한이 지난 음식들과 술이었다.

이나는 여유로운 손짓으로 소주병을 집어 들어 꺼냈다.

딱히 죽어야 하는 이유가 있어서는 아니었다.

살아가고 싶은 이유가 없는 거지. 거창한 꿈이 실패해서도 아니었다. 거창하지도 않을 뿐더러 바라는 삶은 너무나 행복했던 과거였다.

이배.

이나는 피식 웃으면서 뚜껑을 열고 술을 들이켰다.

차가운 알코올이 몸 안으로 들어왔다. 의지는 더욱 확고해지고 확신은 날이 섰다.

죽을 용기가 있으면 삶을 사는 것은 쉬운 일이었다. 그것을 모르는 것이 아니었다.

사랑하는 사람들이 가족이 있었다. 그렇게 생각하니 갑작스레 웃음이 흘러나왔다.

사랑이라. 이나는 한 자리에서 소주 한 병을 비워냈다.

비틀거리는 몸을 간신히 부여잡고 이나는 자신의 방을 찾아 들어갔다.

저기 벽에 걸린 걸이에 끝이 동그런 원형으로 묶여져 있는 노끈이 보였다.

이나는 작은 웃음을 지으며 고개를 기울였다.

바라던 삶은 과거에 있었다.

나를 행복하게 해주는 시간은 과거에 있다.

나를 살아가게 하는 순간은 이제는 가지 못할 곳에 있었다.

그게 유일한 이유였다.

이나는 고개를 저었다. 그 사실은 너무나 비참한 이유였다.

삶은 힘겹고 희망은 작아지고 바라는 것은 사라졌다.

그래그래. 그 이유가 더 적당했다.

이나는 옷장 앞에 있던 낮은 의자를 집어서 노끈이 달린 곳에 내려놓았다.

잔뜩 취한 얼굴로 심호흡을 했다. 의자에 올라섰다. 미리 묶어둔 동그란 원형 모양의 노끈을 목에 걸어 놓으니 새삼 죽음이 두려웠다.

'삶은 힘겹고 희망은 작아지고 바라는 것이 사라져서.'

이나는 비스듬히 미소 지었다.

죽음 앞에서는 솔직해도 되지 않은가. 그러면서 한참을 멍하니, 푸르른 새벽 밤 목에 노끈을 건 채 낮은 의자에 서 있었다. 미리 치워둔 시계가 문득 떠오를 때까지.

하지만 관두기로 했다.

홀로 남아 자살을 생각하면서 떠올릴 만큼 불행한 여자이고 싶지 않았다. 그에게 그런 여자로 남고 싶지는 않았다.

나는 그저, 나의 삶이 불행하고 다시 살아가는 이유를 찾지 못할 만큼 힘겹고 그래서 선택한 죽음이라고 그렇게, 그렇게 나조차 모르게.

이나는 심호흡을 했다.

목에 건 노끈이 무겁게 느껴졌기 때문이다. 숫자를 천천히 세고 낮은 의자를 발밑으로 밀쳤다. 목이 조여 왔다.

질끈 감은 두 눈에 눈물이 고였다.

살려달라고 발버둥을 치고 있었다.

이렇게 죽는 건 억울했다.

아프고 고통스럽게 죽는 건 너무나 비참했다.

하지만 도와줄 이는 없었다.

발버둥을 치는 두 발이 점점 느슨해졌다.

목을 붙잡던 두 손은 아래로 떨어졌다. 그런데.

"켁! 켁! 켁! 콜록! 콜록! 콜록!"

얼굴이 시뻘게진 채 바닥으로 떨어진 이나는 심한 기침을 연거푸 뱉어냈다.

이나는 눈물을 흘리는 채로, 자신의 무게를 이기지 못하고 부러져버린 벽에 툭 튀어나와 있던 걸이의 흔적을 바라봤다.

그 순간 울음이 터져 나왔다.

한 번이라도 좋으니 네가 날 보러 와줬으면 좋겠다.

단 한 번이라도 좋으니. 딱 한 번이라도.

이나는 터져 나오는 울음을 막으려 양 손으로 입을 막았다.

단 한 번만이라도.

# III. 그녀의 죽음을 축복하소서

이나와 같이 걷던 길을 다른 여자와 걸으니, 바보같이 외도하는 기분이 든다.

지금은 헤어진 지도 꽤 되었고, 소식조차 전하지 않는데도. 저 마음 속 심연에 아직도 뭔가가 남아있는가.

루와 닌징루(남경로, 南京路)에서 저녁을 먹고 근처 황푸장 공원을 거닐고 있다.

데자뷰….

에스엔에스(SNS) 무료 전화가 설정된 노래 소리를 낸다. 물론 한국 전화일 거다.

"누구세요?"

루에게 눈짓 양해를 얻고 전화를 받는다.

"나야, 진호."

"오랜만이다. 잘 지내지? 상하이 오나?"

"그럭저럭. 오늘은 그 얘기가 아니고, 어제 친구들 모임에 갔다가, 이상한 소리를 들어서."

"무슨 얘기?"

"모임에서 희선이가 그러는데, 얼마 전 병원에서 긴급연락을 받아서 급하게 갔더니, 이나가 병원에 입원을 하게 되었는데 보호자가 필요하다고."

"어디가 아팠데? 그리고, 왜 하필이면 희선이?"

점점 불안해지며, 급하게 묻는다.

"본인은 별 얘기를 안 해서, 나중에 담당의사한테 물었더니, 자해 후유증이라고 하더래. 이나가 전부터 희선이를 언니 대하듯 했잖아."

진호가 내뱉듯이 말한다.

"뭐, 뭐 때문에?"

"너하고 관련 있는 거로 희선이는 느꼈대."

다리에 힘이 풀린다.

옆에 있던 루가 황급히 묻는다.

"괜찮으세요? 한국에 무슨 일 있으세요? 일단 저기 커피숍으로 가요."

따끈한 카페라테를 한 모금 마시니, 기분이 다소 나아진다.

"무슨 일인지 모르지만, 기운내세요."

루가 살며시 손을 잡아준다.

"고마워요. 루하고 같이 있어서 다행이에요. 데이트 도중 미안하지만."

"오늘 처음 만난 것도 아닌데요."

루가 제법 애인 노릇을 해준다.

여기도 미안하고, 저기도 미안하다.

'내가 뭐를 잘못했지. 서로 나름 쿨하게 헤어지고, 그후에도 못살게 군 게 없는 것 같은데. 알 수 없는 노릇이다. 아, 다른 남자와의 문제?'

"오늘은 그만 갈까요?"

"부탁이야, 오늘 루 아파트에 가서 있다 가면 안 돼? 나 혼자 있기 싫어서."

사실 나 혼자 있게 되면 여기저기 연락하고, 결국은 서울 가 보는 걸로 결론을 낼 거 같다. 그러나 가서 다른 남자 문제면, 나는 뭘 어쩌지…그리고 루는?

"그러세요. 오늘만 봐드릴게요."

택시는 옌안까오쟈(연안고가도로, 延安高架)로 빠르게 들어선다.

이상하다.

죽음이라는 것은. 나의 의지로 얼마든지 가능하다고 생각했다. 삶을 살고 또는 죽는 일.

하지만 인간이 생명의 존재 유무를 가리기에는 너무나 나약하고 창대하다. 양면을 가지고 있다.

하지만 방법은 있었다. 나의 의지와는 상관없이 자살에 실패했더라도 삶을 살지 않는 일은 할 수 있다.

나를 놓는 일. 그것은 굳이 힘을 들이지 않아도 할 수 있는 일이다. 삶을 놓아버리는 일.

좋아하는 것들과 싫어하는 것들의 구분이 막연해진다.

어디로 향해야 하는지 방향성을 잃어버린다.

누구와 소속되든 혼자든 상관없다.

지금 내 모습이 누군가에게 어떻게 비춰질지 관심 없다.

이런 것들이 지속된다면 우리는 그것을 자유 또는 방랑자라고 부른다.

여기서 단 한 가지만 추가되면 그것은 죽음과 다를 게 없다. 그 무엇도 나조차도 사랑하지 않는 일.

이나는 앉은 자리에서 자세를 바꾸고는 침대 머리에 기댔다.

'그 무엇도 사랑하지 않는 일.'

그것은 곧 죽음이었다.

그러니 나는 살아있는 것 같지만 숨을 쉬지 않는 것과 같다. 깊은 곳에서 유영하지만 물속에서 숨을 참고 있는 것과 같다.

그러니까, 나는 살고 있지 않는 것과 같았다.

이나는 문득 고개를 기울였다.

정말 죽어있는 걸까?

이나는 자신의 두 팔을 벌려서 주먹을 쥐었다 폈다.

흰 피부의 선명한 핏줄이 나타났다 사라졌다.

이렇게 살아있는데, 눈에 보이는데.

왜 나는 그토록 죽음을 바라는 것일까.

'띠리리리. 띠리리리.'

이나는 침대 위에 아무렇게나 올려둔 휴대폰을 바라보고는 길게 손을 뻗어서 액정을 확인했다.

이나는 점점 커진 눈을 손등으로 비벼봤다.

그의 번호였다.

억지로 전화번호부에서 지워진 틀림없는 그의 번호였다.

이나는 잠시 망설이다가 선뜻 통화 버튼을 터치하고 휴대폰을 귀에 갖다 붙였다.

"…병원이니?"

이나는 이배의 목소리에 하마터면 왈칵 눈물이 날 것 같았다. 하지만 참기로, 그러기로 했다.

"당신 때문이 아니야. 난 그냥…."

"알아."

이나의 흔들리는 두 눈으로 물기가 찼다.

나는 당신이 알아주기를 얼마나 기다렸는지.

"이나야…. 사람들은 헤어지고 만나고를 반복해. 우리는 그것들을 한 거야 …."

이나는 숨이 멎을 것만 같았다.

이대로 가라앉고 가라앉아서 땅 밑으로 숨어들고 싶었다.

"…당신은 여전해. 언제나 좋은 사람으로 남고 싶어 하지. 그게 얼마나 사람 피 말리게 하는 건지 관심도 없으면서 말이야. 내 말이 틀려요?"

휴대폰 너머에서 이배의 낮은 숨이 전해졌다.

"여전하구나. 날 나쁜 사람 만드는 거."

이나는 일순간 눈물이 차올랐다.

"그게 무슨…."

"그래서 우리가 헤어졌지."

이나의 두 눈에 고인 눈물이 하얀 얼굴을 타고 빠르게 흘러내렸다. 이나의 입가에 비스듬한 미소가 걸렸다.

"내가 당신에게 그런 말 하는 게 그냥 듣고 싶지 않는 건 아니죠? 한 번이라도 날 안심시켜주는 일이 귀찮은 건 아니죠? 나…사랑했죠?"

이배의 숨이 들려오지 않았다. 그러다가 휴대폰을 귀에 가까이 붙였는지 짧은 숨결이 전해졌다.

"그거 아니? …난 널 만날 때마다 내가 부족한 사람으로 느껴져. 나는 네가 원하는 걸 해줄 수 없는 남자로 느껴진다고. 내 마음은 항상 같은데 너에게 그대로 전달되는지 의문이라고, 알아? 날 사랑한 너였니?"

이배의 뜻밖에 물음에 이나는 질끈 두 눈을 감아내면서 입을 열었다.

"모르겠어요. …난 잘 모르겠어. 그냥 나는 당신이… 나는 당신이…."

이나는 무슨 말을 꺼내야 할지 마음을 뒤져봤다.

하지만 머릿속에서는 묵묵부답이었다.

"이나. 사랑은 확신이 아니라 희망인 거야."

이나는 눈물을 흘리면서 고개를 저어냈다.

"…이배 씨. 그런 게 아니라…."

"너도 네 맘을 모르는데 내가 알아주길 바랐니? 너는 정말이기적….”
“그래서 당신이 싫은 거야.”
이나는 쏟아지는 눈물을 한 팔로 닦아내면서 말을 이었다.
울음 섞인 목소리지만 분명한 말이었다.
“당신은 날 언제나 못마땅해 했어. 내 부족함을 질책하면서 날 방치했어. 그냥 안아주면 되잖아요. 그게 그렇게 어려워요? 그게 어려우면 우리가 사랑하는 게 맞아? 내 맘을 알아주길 바랐다고?”
이나는 터져 나오는 울음을 작게 터트리고는 떨리는 목소리로 소리쳤다.
“그냥 나를 봐주길 원했어요! 알아요? 그냥 날 안아주면 되는데…, 그것뿐인데….”
이배의 잔잔한 숨결이 전해졌다.
“내 마음이… 그렇게 안 전해졌어?”
이나는 눈물을 멈추고는 눈물 자국이 선명한 얼굴로 짧게 미소 지었다.
“우리는 인연이 아닌가 봐요. 이배 씨.”
휴대폰 너머에서 이배의 짧은 침묵이 흘렀다.
이나는 피식 작은 웃음을 터트렸다.
“끊어요.”
이나는 그대로 무릎을 가슴 가까이 끌어안고는 참았던 눈물을 터트렸다.
삶은 참 이상하다.

살아있지만 죽어있기도 하고, 살고 싶지만 죽고 싶기도 한다. 그리고 이런 것들을 가능하게 하는 것이 있다.

'사랑.'

이나는 어깨가 들썩일 정도로 울음을 터트렸다.

나는 살고 싶었다.

결국은 전화를 할 수밖에 없었다.

사실 당장 달려가고 싶은 마음도 있었다.

그러나 다른 남자 문제일 것도 겁이 났다.

상하이 여자답지 않게, 포근하게 잘 해주는 루도 걸렸다.

사실 여기 일도 문제였다.

지난 세월을 단숨에 해결하려고 한 전화는 아니었고, 내가 많이 사랑했고 지금도 사실… 하고 있는 여자가 자해를 했다니 진심으로 걱정되어 한 전화였는데….

어쩌면 나 때문에 일을 저질렀다는 말을 듣고자 하는 망상에서 한 전화였는지도 모르지만.

하여간, 둘은 언제부터인가 평행선이었다.

이번에도 확인 사살한 또 한 번의 경우인가.

인간이라는 동물은 고도의 언어로 소통을 할 수 있어 동물을 넘어서는 존재라는 말을 나는 자주 부정할 수밖에 없었다.

사랑이라는 미로에서 조우한 여자들과의 대화에서, 특히 그랬다. 솔직하지 못해서인가.

사랑 같은 솔직한 감정이 더 없을 텐데?
아, 내 사랑만을 너무 내세워서는 아닐까.
이나의 끝부분 말이 갑자기 의미 있게 다가온다.
'그냥 나를 봐주길 원했어요! 그냥 날 안아주면 되는데.'
다 지나면 가끔 좋은 생각도, 의미를 깨닫는 생각도 떠오른다. 그렇다고 지금 다시 전화를 할 수는 없다.
그래봐야 아직 내 생각에 불과하니.
하여간, 목소리를 들으니 당장 어찌된 경우는 아닌 것 같아 다행이다.
그리고 느낌이 다른 남자 탓은 아닌 것 같다고, 내 멋대로 생각해 버린다.
한숨을 나도 모르게 내뱉는데, 핸드폰이 울린다.
루이다.

"한국에 전화하셨어요?"
걱정 어린 목소리다.
울컥 고마움이 느껴진다.
이나와의 대화가 속절없이 끝나, 더 그런지도 모른다.
"했어요."
"그분은 괜찮아요?"
"그런 거 같기도 하고. 전화만으로는 잘 모르겠어요. 목소리는 멀쩡한 거 같기도 하고…. 이따 만나면 자세히 얘기해 줄게요. 오늘 시간 되지요?"

“야근 거리가 있는데, 가능한 한 일찍 마칠 거니까, 식사 먼저 하시고 그 바에서 뵈어요.”

루 목소리를 들으니, 아까의 혼란스러움이 어느 정도 진정된다. 이열치열인가.

여자 문제는 여자로 극복할 수밖에 없는가.

그러면서도, 한쪽 귀에서는 이나의 그 말이 작지만 계속해서 윙윙거린다.

‘그냥 날 안아주면 되는데. 그것뿐인데.’

그리고 목소리가 처음엔 반가워하다 떨리는 목소리로, 울음 섞인 목소리로 변했던 것도 지금에서야 생생히 기억난다.

다시 혼란스럽고, 울컥하는 기분이 된다.

‘빨리 루를 만나야겠는데.’

동시에 솔직한 마음 한 가닥이 스쳐 지나간다.

‘나는 루를 만나고 싶은 걸까, 이나를 잊고 싶은 걸까?’

하나도 그립지 않다고 말했다.

그때로 다시 돌아간다고 해도 나의 선택에는 변함없다고.

좋은 기억들만 있었던 것도 아니고 상처는 시간에 의해 왜곡되었다. 나는 정말로 돌아가고 싶지 않다.

그대도 그럴 것이다.

나는 힘들고 고통스러운 기억을 잊을 것이다.

내가 초라해질까봐 합리화하는 시간은 지났지 않은가.

나는 더 바랄 것이다. 앞으로 가지게 될 마법 같은 시간들에게 말이다. 나는 꿈꿀 것이다. 사랑하는 것들이 많아지도록.

너에게 나는 무엇이었을까 생각해봤다.

성장 통이었을까. 사랑에 미숙한 인간 둘이 만나서 완전하지 않은 꿈을 꾸었던 것일까. 그렇다면 날 바라보던 그 진지한 얼굴은 무엇이었을까. 나를 향했던 그 눈빛은 무엇이었을까.

나는 외면할 것이다.

흉터투성이인 우리 사랑을.

그리고 이것만 기억할 것이다.

사랑.

그대도 그렇지 않은가?

루와 거의 매일 만났다.

처음에는 그럴 수밖에 없었고, 나중에는 필연이 되었다.

찌뿌듯한 휴일이다. 언제라도 빗방울이 떨어질 것 같다. 상하이 앞 창장(장강, 長江) 한복판에 바다와 만나는 곳에 만들어진 큰 삼각주 섬인 총밍(숭명, 崇明) 섬으로 루의 소형차를 타고 같이 가려 한다.

원래 페리 타고 가던 곳인데, 이제는 육지와 총밍 섬 사이를 터널과 긴 다리로 연결하고 있다.

장관이다. 최근 중국에 엄청난 토목공사들이 즐비하다.

여기는 뉴욕 롱아일랜드와 같은 발전을 도모하고 있다.

다리를 건너며 바다와 같은 창장을 내려다본다.

바다인지 호수인지 모를 드넓은 강 위에 무수한 큰 배, 작은 배들이 들판에 여기저기 지어져 있는 집들 같다.

꽤 한참을 달려 총밍 섬에 도착했다.

만들어진 지 그리 오래되지 않은 조경 잘 된 강변도로가 곧바르고 한적하다.

상하이가 아니라 미국에 와 있는 기분이다.

매우 넓은 동탄(東灘) 습지공원으로 간다.

물과 땅이 어우러진 곳이다. 나무 보도를 설치해 습지를 보호하고 있다. 습지 길을 따라 꽤 걷는다.

행운의 네 잎 클로버가 많이 보여 루한테 따 주며, 어린 소년과 소녀가 된다.

국가 조류 자연보호구로 지정될 정도로 조류 서식지로도 유명하다. 철이 아니라 그런지, 습지 저쪽 바닥에서 오직 새 한 마리가 다소 탁한 하늘을 응시하고 있다.

"저 새는 어디를 보고 있을까요?"

루가 생뚱맞은, 그러나 의미 있게 묻는다.

"내 생각에는 가고 싶은 데나 아니면 꼭 가서는 안 될 곳을 보지 않을까?"

"새나 사람들 인생이나 수시로 둘 중 하나를 택해야 하는 건가요?"

"루쉰의 말처럼 '길이 어디 있었나, 가고 가면 길이 되는 것이다.'일 수도 있고."

돌아오는 다리 위에서 루가 중얼거린다.

“무탄소 도시로 만든다고 하니, 총밍 섬 같은 데서 같이 살 수 있으면 좋겠어요. …그냥 해 본 소리예요. 오늘도 이배 씨 얼굴에서 많이 읽었어요. 한국에 계신 분 생각이 묻어나요.”

그 말에 갑자기 울컥해지며 눈가에 눈물까지 맺힌다.

마음 깊은 곳에서는 통곡하기 시작한다.

아름다움과 슬픔이 같은 단어임을 알게 해주는 여인들….

어느새 저쪽으로 땅거미 속 마천루 불빛들이 현란한 상하이 푸동 지역이 보이기 시작한다.

모처럼 한국 출장이다.

본사에서 열리는 세계 지사들 합동 회의에 지사장을 대신하여 가게된 것이다.

내일 귀국하여야 하여 준비에 정신이 없다.

핸드폰 전화가 울린다.

화면을 보니 루의 푸근한 얼굴이다.

내일 준비가 많아 오늘 만날 수 없을 것 같다고 했더니 전화를 한 것이다.

“내일 준비 잘 되시죠?”

“하고 있어. 생각보다 일이 많네. 못 보고 가서 미안하고. 대신 한국에서 선물 사올게.”

“뭐 일부러 안 만나시는 것도 아닌데요. 일 잘 마무리하시고요. 한국 선물 좋죠. 고마워요. 기대도 되네요.”

요새 중국여자들은 아직도 한국 물건들을 좋아한다.

"그리고, 시간 내셔서 한국 그분 한 번 만나세요. 많이 회복되셨는지 확인도 해보시고요. 저도 괜히 미안해서 그러니…."

항상 마음 씀씀이가 깊다. 고마울 따름이다.

사실 바쁜 출장 준비 틈틈이 그 생각을 계속하고 있었다. 만나야 하나 마나.

루의 재촉에 대충 마음을 정한다.

김포공항이다.

상하이-서울 간의 항공편은 승객들의 편의를 위해, 푸동공항-인천공항 노선에 추가하여 홍차우공항-김포공항 노선도 운영하고 있다.

푸동으로 가는 시간과 인천에서 오는 시간을 고려하면, 매우 시간 절약이 되는 노선이라, 한국 오갈 때 가급적 홍차우공항-김포공항 노선을 이용하고 있다.

어디 들릴 시간도 없이, 본사로 향한다.

본사에서 회의 참석, 다른 업무 협조, 본사 사람들에게 인사, 회식 등으로 정신없이 하루가 지났다.

사실 그 와중에도 이나를 만나야 하나 마나 하는 생각이 계속 머리를 드나들었다. 아직도 결론을 못낸 상태다.

참으로 이번 일에 대해서는 우유부단하다. 만나서 박대라도 받을까 봐 그런가, 그녀와 다시 좋게 될까 봐 그러는가.

이도 저도 아닌 것 같은데… 한이 없다.

우선 이나네 아파트로 움직이기로 한다. 전화를 미리 하면,

오지 말라고 할 것 같다. 아파트 앞에 가서 전화를 해서, 집으로 올라가든가 근처 커피숍 따위에서 만날 계획이다.

하여간 이나네 동 앞에 도착한다. 위로 그녀 집을 보니, 깜깜하다. 벌써 자는가, 외출 중인가?

일순, 안도가 된다. 말도 안 되는 짓이다.

여기까지 와 놓고서 안도라니…. 들어올 때 본 아파트 단지 앞 커피숍이 생각난다. 거기서 커피나 한 잔 한 후, 다시 와 보기로 한다.

다시 와서 봐도, 이나 네는 깜깜하다.

'안 되겠다. 아직 다시 만날 팔자가 아닌 거 같다.'

안 되겠다가 아니고 사실 안도를 하는지 모른다. 못 만난 것이 다행인 듯 기분이 좋아지며, 친구에게 전화를 건다.

'한국에서 오랜만에 기분 좋게 술 한 잔 해야지.'

당신과 가까이 있고 싶었다.

나는 당신의 그늘에서 쉬고 싶었다.

하지만 이제는 바랄 수도 없어.

우리는 이미 끝났으니까.

"이나 씨, 들어오세요."

멍을 때리며, 엉덩이만 걸친 채 앉아 있던 이나는 간호사의 부름에 자리에서 일어나 걸음을 옮겼다.

도대체 내 머릿속에 사는 당신이 지겨워서 이곳을 찾았는 이나는 열어둔 방문을 통해 상담실로 들어섰다.
멀지않은 자리에 앉은 중년의 남자, 정신과 의사가 있었다.
하지만 이나는 자리에 선 채로 입을 열었다.
"꼭 앉아야 하나요? 앉기 싫은데."
중년의사는 조금 당황스러웠는지 이마를 긁적이면서 말했다.
"대화를 하려면 서로 마주보고 앉아서 해야 하지 않을까요?"
이나는 시큰둥한 얼굴이었다.
"마주보면서 대화하기 싫으면요?"
중년의사는 잠시 망설이다가 생각보다 수월하게 고개를 끄덕인다.
"편한 대로 하세요."
이나는 고마운 듯 미소 지었다.
"자살에 실패했었죠."
그리고 어딘지 모르게 아쉬운 표정으로 말을 이었다.
"정말 죽고 싶었다고 생각했었죠. 그런데 아니었어요. 내가 바라던 건 죽거나 살거나 문제가 아니었어요."
중년의사는 두 손은 엇갈려서 잡은 채로 심오한 표정을 지우지 않았다.
"이나 씨가 바라던 건 죽음이 아니었어요?"
이나는 확신의 눈빛으로 중년의사를 바라봤다.
"희망."
중년의사는 중얼거렸다.

"희망?"

일순간 이나는 해괴한 웃음을 터트리고는 긴 머리를 쓸어 넘기면서 입을 열었다.

"정말 의아하죠? 죽음의 순간에서 희망을 바란다는 건…. 모순이죠?"

중년의사는 잠시 고개를 기울인다.

"그 순간에…. 희망을 찾았나요?"

이나는 고개를 저었다.

"아뇨."

중년의사는 순간적으로 작은 웃음을 터트렸다.

"재밌네요. 이나 씨처럼 솔직한 여자가 나를 찾아온 이유가 사실을 정당방위라고 자신에게 말하고 싶어서였다니."

이나는 뜨끔한 얼굴로 입을 다물었다.

중년의사는 고개를 기울인 채로 말을 이었다.

"대게 희망은 살고자 하는 사람이 만들어내죠. 사실은 이나 씨가 살고 싶었던 거죠. 그리고 죽고 싶지 않은 이유를 부정하고 싶었겠죠. 희망과 죽고 싶지 않은 이유가 같아서, 그래서 여기 온 것이겠죠."

이나는 어두운 얼굴로, 느긋한 표정을 짓고 있는 중년의사에게 시선을 거두지 않았다.

이나는 머뭇거린다 싶더니 입을 떼어낸다.

"내가 비정상인가요?"

중년의사는 다시금 작은 웃음을 터트리고는 말했다.

"아주 정상이에요. 사랑에 빠진 사람치고는."

이나는 흔들리는 눈으로 중년의사의 따뜻한 얼굴을 바라봤다. 중년의사는 고개를 기울인다.

"처음부터 그 사람을 믿고 싶었겠죠. 아니 이미 그 사람을, 믿고 있었겠죠."

이나는 환한 미소를 지으면서 얼굴에 흐르는 눈물을 손등으로 닦아냈다. 그리고 중년의사의 묘한 미소를 바라봤다.

그의 말이 아직 다 끝나지 않았다.

"사랑은 끝나지 않았잖아요? 그를 믿어요."

믿음. 그것은 너무나 먼 이야기라고 생각했었다.

우리 사이에 믿음이라는 것이 남아있을 리 없지 않은가.

이나는 불안한 눈빛으로 중년의사를 바라보면서 물었다.

"그를 다시 못 믿게 되면요? 사랑을 다시 믿지 못하게 되면요?"

사랑. 믿음. 그것은 하나의 이야기였다.

"손해 볼 것은 없잖아요?"

중년의사는 모든 것을 꿰뚫어보는 눈빛으로 이나를 바라보면서 말을 이었다.

"당신은 솔직하니까."

**한국 갔다가 기회주의자처럼 이나를 만나지 않고, 아니 전화조차 안 하고 상하이로 다시 돌아오는 비행기 속에서부터 마음이 편치 않다.**

‘그렇게 연락하고 오라고, 당부했는데. 루한테까지 비난 받으면 어쩌지?’

서로 부딪히지 않는 것이 최선이라고 생각했는데, 결과는 참담하다.

뭐가 잘못됐을까?

이기적 헤어짐 때문인가.

언제부터인가 둘 사이에 습관이 된 서로에 대한 맹목적 믿음이 문제였나?

내가 무슨 짓을 해도 그녀는 이해해주겠지 하는.

아직도 너무 사랑하고 있으나, 정작 본인들만 정확히 깨닫지 못하고 있는지….

상하이 홍차우공항에서 택시를 타고 푸동으로 향한다.

우선 지사에 들러 한국 본사 출장 보고 등을 해치우려고 한다. 중요한 건도 있어, 지사장이 기다리고 있다.

택시 속에서도 이나에 대한 생각이 꼬리를 문다.

이나가 자해하는 장면이 이런저런 모습으로 머릿속을 드나들기까지 한다.

‘얼마나 아팠을까, 얼마나 괴로웠을까.’

나 때문이었던 것 같다니 더욱 그렇다.

가슴이 아프다 못해, 쓰리다.

그런데도 나는 치사하기 짝이 없게 전화도 안 하고 돌아왔구나. 그녀에 대한 애처로움의 불씨가 재점화되는 느낌이다.

'이를 어쩌지?'

극도로 혼란스러워지니 푸근한 루 생각이 나, 휴대폰을 꺼낸다. 다녀왔으니 어차피 전화도 해야 한다.

그런데 전화걸기가 미안스럽다.

이전에는 한 번도 그런 적이 없었는데. 루 말대로 안 하고 와서만이 이유인지 모르겠다.

이나와의 혼란스러운 감정 탓은 아닌가?

루가 전화를 기다릴 텐데, 휴대폰을 도로 손가방 속으로 집어넣는다.

지사장은 만나자마자 본사에서의 중요사항들에 대해 숨 돌릴 틈도 없이 묻는다.

한 고비를 넘긴 후, 내 책상으로 돌아와 의자에 털썩 몸을 던진다. 눈을 뜨고 있기도 어려울 만큼 피곤이 엄습해온다. 숙소 아파트로 빨리 돌아가, 잠들고 싶을 따름이다.

하여간 한국에서 이나를 만나지도 못하고 전화도 안 하고 오는 바람에, 오히려 그녀에 대한 미련과 사랑의 불씨를 들추게 되다니….

휴대폰이 울린다.

루 전화 같으나, 그냥 받지 않고 싶다.

계속 울리다 소리가 멈추자, 숙소 아파트로 서서히 몸을 일으킨다.

돌이켜 생각해본다.

나는 너와 무슨 관계였는지.

사실은 아무런 사이가 아니었다. 남이었다.

그런데 왜 우리는 그토록 서로를 향했을까. 하루에도 몇 번을, 버릇 중 하나처럼.

나는 그것이 궁금했다.

그리고 성급하게 책상의 조그마한 서랍을 열고 카드 지갑을 꺼내서 얼마 전 진료가 끝나고 받은 정신과 의사의 명함을 찾았다. 이름은 '정신.'이었다.

곁에 둔 휴대폰을 들어서 번호를 눌렀다.

그리고 아차 싶었다.

'당신은 솔직하니까.'

그 정신과 의사의 묘한 미소와 함께 떠올랐다.

사랑은 이유가 없었다.

내가 너를 향하고 네가 나를 향하는 이유 따위는 사랑밖에 없었다. 나는 얼떨결에 눌러버린 통화를 끊지 않았고, 정신과 의사에게 퍼부을 질문들도 생각하지 않았다.

"네, 정신입니다."

나는 다리에 힘이 풀려버린 채로 의자에 앉아서 의사와 통화를 했다.

"이나에요. 사랑에 빠진 사람치고는 정상적인."

그는 작게 웃음을 터트린다.

"네, 반가워요."

단조로운 그의 인사에 나는 불안한 마음을 추스르고는 입을 열었다.

"내가 미쳐가요."

수화기 너머에서 잠깐의 침묵이 흘렀다.

"이나 씨. 내가 보기에는 아주 정상적인…."

"정말이에요. 내가, 내가 아니에요."

이나는 그의 말을 끊어버리고는 횡설수설 말했다.

"알아요? 나는 원래 이러지 않았다고요. 아침에 일어나서 눈을 뜨는 것부터가 지옥이에요. 내 머릿속을 수없이 걸어 다니고 화장실에서는 나한테 질문도 던져요. '그래서 네가 어쩔 건데?' 내 말투를 완전히 똑같이 해요. 그뿐인 줄 알아요? 회사에서도……."

"이나 씨?"

이나는 씩씩거리던 호흡을 다잡고 그의 부름에 금세 숙연해진 얼굴로 휴대폰을 붙잡았다.

"네…. 듣고 있어요."

그는 단조로웠다. 언제나 그랬듯이.

"그가 자꾸 생각나고 보고 싶어요?"

하지만 이나는 힘겨운 듯 인상을 썼다.

"그런 게 아니라 나는……!"

"이나 씨."

그는 다분히 조용한 목소리로 말을 이었다.

"사랑할 수 있을 때 하세요. 그게, 이나 씨가 죽지 않았던 이유가 아닌가요?"

죽지 않았던 이유. 이나는 금방 어두운 얼굴로 풀썩 자리에 완전히 주저앉았다.

그는 몰랐다.

사실은 다 모르는 거야.

그냥, 그냥 한 번 찔러봤던 거야.

그냥. 그냥 말이야.

"이나 씨."

이나는 멍한 표정으로 숙였던 고개를 들었다.

그의 목소리가 조금 더 진하게 들렸다.

"나도 사랑하는 여자가 있죠. 그런데 그 여자에게 아직까지 해주지 못한 말들이 많아요. 언젠가는 하겠지, 하겠지 하며 날 다독여요. …그런데 그거 알아요? 사랑은, 하고 있을 때 할 수 있을 때, 바로 지금이라는 걸."

바로, 지금. 이나는 스르르 고개를 숙였다.

"지금은 어려우면요. 난……못 해요."

"왜요?"

이나는 작은 숨을 내쉬고는 입을 열었다.

"내가 너무 초라하니까…."

이나는 질끈 두 눈을 감고는 말을 이었다.

"……난 사실 솔직하지도 않아요. 난 사실, 난 사실요…."

"이나 씨. 내 얘기를 들어줘요."

이나는 눈물이 차오르는 것을 그대로 내버려두기로 했다.

그럴 수 있었다.

"그를 만나기 이전으로 돌아가 봐요. 얼마나 아름다운 이나 씨가 있었는지를 생각해봐요. 그리고 다시 그를 만나요. 그의 심장을 떨리고 웃게 한 당신이에요. 당신, 정말 대단하지 않아요? 누군가의 가슴을 뛰게 했으니까."

이나는 작게 웃음 지었다.

그리고는 고개를 기울여서 말했다.

"선생님. 그래서 해주고 싶은 얘기가 뭐예요? 보통 자존감이 떨어진 것 같은 환자들에게 그런 말을 하나 보죠? 재밌네요."

그는 조금 침묵하다가 말을 꺼냈다.

"돌아왔네요. 내가 봤던 이나 씨로."

이나는 물기로 흐릿한 시선을 가만히 두고는 미소 지었다.

"고마워요."

이나는 그의 침묵을 조용히 듣다가, 먼저 전화를 끊었다.

그리고는 팔짱을 꼈다.

문득, 가엽고 기특한 자신이 있었기 때문이다.

'눈물이 많아졌어.'

그렇게 생각하고는 다시 문득, 피칸파이와 바닐라 아이스크림을 먹어야겠다는 매우 훌륭한 생각을 했다.

루와 만나기로 했다.

죄 지은 사람처럼 피한 꼴이 되었으나, 꼭 그것만은 아니었다. 본사 출장 후 회사 일로 더욱 바빴다.

사실 이번 한국 출장 때, 상하이 지사 인원 중 중견 한 명을 본사로 복귀시키는 건도 논의되었다.

중국 기획 업무의 증대 때문이란다. 들은 얘기에 따르면, 나도 거론되고 있다고 한다. 이 건이 추가되어, 도리 없이 회사 일에 빠져 며칠 지내게 되었다.

이나 생각도 잠시 접어두게 되었고, 루와의 만남도 잠시 중단되었다.

루도 늦게 끝나, 두 직장 중간쯤에서 만나, 식사를 간단히 하고 오랜만에 늦게까지 커피 마시고 와인 마시며 밀렸던 얘기를 나누기로 하였다.

상하이 구도심 소로(小路)들을 택시가 달린다.

거대한 서울의 삼청동 같다. 이러니 내가 상하이 이 지역을 좋아할 수밖에 없다.

짙은 가로수와 길가 집들이 연륜의 정과 때가 느껴지면서도 제법 단정하다.

루의 손등에 내 손을 가볍게 포갠다.

루는 말없이 맑은 미소를 짓는다.

그 맑은 눈 속에 이나의 모습도 어른거리는 것 같다.

택시를 내린 후, 넓지 않은 길을 건너 티안지황(전자방, 田子坊)의 골목길로 들어선다.

여러 가게들이 오밀조밀 붙어 있다. 서울 인사동 같이 갤러리, 공방, 음식점, 카페 등이 밀집되어 있는 상당히 오래된 구역이다.

골목길 끝에서 오른쪽으로 꺾어 나의 단골이라고 할 수 있는 커피숍 2층으로 거침없이 올라간다. 항상 앉는 자리로 가기 위해서다.

한쪽 큰 창에는 상하이 도심의 마천루들이 보이고, 건너편 창에는 티안지황 건물의 전형적 중국식 지붕이 보이는 테이블이다. 밤이라 더 검게 보이는 크기가 작은 중국 기와가 촘촘히 얹힌 지붕이 물씬 상하이 냄새를 풍긴다.

카페라테와 애플파이를 시킨다.

사실 내가 좋아하는 것은, 이나가 매우 좋아하는 피칸파이인데 먹는 동안에 계속 이나 생각을 할까 봐 일부러 애플파이를 시켰다.

루가 좋아하기도 하니.

"다시 얘기하는데, 이나한테 전화조차 안 하고 돌아온 것에 대해서는 미안해. 내가 소심해서 그런 거지, 루 말을 안 들으려고 한 것은 아니야."

"이배 씨와 당당한 사랑을 하고 싶어서 그런 거예요. 옛 사랑에 대한 이배 씨의 예의라고도 생각이 들었고…."

"알았어. 조만간 만나거나 전화를 할게. 한국 갈 일이 다시 생길 수도 있으니. 아직 확정되지 않았으나, 한국으로 복귀할지도 모르겠어."

"일단 축하드릴 일 같은데, 그럼 우리는 어떻게 되는 거죠?"

"사실은 그 얘기 좀 하려고, 오늘 만나자고 한 거야. 신티엔디(신천지, 新天地) 바로 옮겨 와인이나 더 할까?"

열어놓은 창문에서 쑥 들어온 밤바람에 확 흩날린 루의 스카프를 바로잡아 준다.

다소 놀라서 그런지, 내가 하는 대로 가만히 있는다.

# IV. 운명에 대하여

이나는 두 눈을 감아냈다.

그리고 그 깊은 곳에 사는 그를 끄집어냈다.

그 존재는 이나가 만든 존재였다.

새벽 밤이면 늘 부르던 그런 존재였다.

"나는 네게 말했잖아. 지나가는 바람이 왜 차가운지, 소리 없어도 울고 있는 게 보이는지. 다 설명해줬잖아."

그는 그렇게 말했다.

그의 존재가 그렇게 말했다.

이나는 눈을 감은 채로 뱉어냈다.

"나도 설명했어. 밤마다 내가 왜 스탠드를 켜놓고 자는지. 추위를 많이 타는 내가 왜 창문을 열어놓고 자는지. 다 얘기했어, 나도."

그는 피식 웃음을 지었다.

"오늘은 심술이 났구나."

이나는 흐르는 눈물을 감춰냈다.

"그래 보이니?"

그는 속삭였다.

"울지 마."

이나는 짧은 숨을 내쉬고는 말했다.

"넌 내가 만든 존재잖아. 진짜가 아니야."

그는 언제나처럼 답했다.

"나는 네 곁에 있어, 이나야."

이나는 싫은 듯 고개를 저어냈다.

"믿지 않아. 난 그 사람을 원해."

그는 침묵하다가 이내 나지막이 말한다.

"그를 사랑해?"

이나는 일순간 눈물을 터트리고는 말했다.

"모르겠어. 정말, 모르겠어."

그는 조용히, 조용히 얘기했다.

"사랑은 불행과 좌절과 그리고 그를 이겨낼 힘도 줘. 너는 강인해. 그렇지만 약해져도 돼. 사랑이, 너의 그 사랑이. 너를 결국에는 안아줄 거니까."

이나는 얼굴에 눈물이 범벅이 된 채로 물었다.

"언제? 그게 언제인데?"

그는 속삭였다.

"늘. 언제나."

이나는 피식 웃으면서 또 다시 작게 눈물을 터트렸다.

"아름다웠던 내가 생각이 안 나. 그를 만나기 전에 내가 아름다웠는지도 모르겠어. 그를 만났던 내가 아름다웠던 것 같아. 나는 정말, 나를 잃어버린 것 같아."

그의 목소리가 이나의 두 귀에 울렸다.

"이나야."
이나는 고개를 저어냈다.
"하지 마."
그는 살며시 웃음을 짓는다.
"사랑해."
이나는 번쩍 눈물을 쏟고 있던 두 눈을 떴다. 내가 만들어낸 존재는 나에게 수도 없이 사랑을 말하는데. 그리고선 빠르게 자리에서 일어나, 참고 있던 울음을 터트렸다.

사랑. 사아랑.
마침표를 찍었음에도 말이었다.

조금 전 지사장이 불러서 갔더니, 한국 본사 복귀자로 내가 내정되었다고 하며 조만간 정식 발령이 날 거라고 미리 귀띔해 주었다.
세상 돌아가는 이치는 참으로 알 수가 없다.
한국에 있는 이나로 인해 혼란스러워 할 때는 중국으로 발령이 나더니, 이제 이나에 대한 생각이 달라지기 시작하니 한국으로 발령이 난다.
우연의 일치인가. 유행가 가사에 자주 등장하는 운명이라는 단어를 들먹여야 하는가.

한편, 루가 걱정이다.

얼마 전 와인 몇 잔 하며 얘기를 꺼내긴 했으나, 루의 표정은 생각보다 어두웠다.

나도 편치 않았다. 루도 이제 내가 한국에 돌아간다는 의미가 무엇인지 알게 되었다.

루가 없었다면, 정신적으로 피폐해 있던, 더구나 객지에서 적막했던 이곳 상황을 어찌 견뎌냈을까.

루는 친구이자 애인이었다. 그것도 배려있고 세심한.

내 이기적 생각으로는, 루가 나하고 같이 사는 것까지는 염두에 둔 거 같지는 않다. 하여간, 크게 미안하다.

루와 사랑이라는 감정의 유희까지 추었는지도 모르고 마땅한 대책도 없으나, 루 상태를 아랑곳하지 않고 내 갈 길을 가고 싶지도 않다.

생각 끝에서 다른 생각이 계속 맴돈다.

나의 얄팍한 결론은, '루의 솔직한 얘기를 들어보자.'이다. 역시 의타적이고 이기적이다.

눈을 감으니. 자해한 이나의 모습과 뜬금없이 오래 전 중국 다롄(대련, 大連) 방문 시 스쳐지나간, 노란 작은 잡풀 꽃을 뜯어 나에게 수줍게 건네던 순박한 만주(현 동북지방) 소녀의 모습이 보인다.

문살 창호지를 간질이는 아침햇살 같았던 상하이 생활을 비오는 밤 쓸쓸한 정거장 같이 만들어 놓고 떠나고 싶지는 않은데…….

목련꽃을 볼 때 지는 것을 상상하기 힘든 것처럼, 루의 푸근히 웃는 모습에서 우는 모습을 상상할 수 없다.

하지만 그렇기 때문에 루의 눈물은 곧장 이별로 이어질 수 있다. 그냥 그것 자체일 수 있다. 서글픔이 노을처럼 타오르다 내 마음으로 더 속으로 파고 들어간다.

그러나 저쪽에서 루가 달래듯이 말하는 것 같다.

아니 내가 간절히 바라는지도 모른다.

'제가 씨앗은 뿌렸으나 결실은 제 몫이 아닌 거 같네요. 이나 씨 잘 해주시기 바라요. 저는 얼마 전부터 이배 씨 마음이 보이네요. 매화가 봄을 여나, 벚꽃이 봄을 완성한다고 하네요.'

미국 샌디에이고 라호야 해변 공원이 생각난다.

푸르스름한 바다를 바라보면서 당신과 함께 보내던 시간들이 떠오른다.

찰랑이는 물결과 간드러지게 웃고 있는 나도 있다.

반짝이는 모래를 밟아가면서 다정하게 미소를 주고받는 우리까지, 있다.

"이배 씨는 날 왜 사랑해요?"

나는 궁금해서 물었지.

"왜?"

당신은 의아한 얼굴을 했어.

"응. 왜 사랑해요?"

날 바라보는 그 진지한 눈빛 스쳐가는 바람.

"내 가슴을 뛰게 만들었으니까."
나는 너무나 행복한 얼굴이었어.
"정말? 정말요? 나도 그랬는데."
당신은 몰랐을 거야.
"이나는 날 왜 사랑하는데?"
나는 속삭였지.
"멋있어요, 당신."
그리고 내 가슴을 뛰게 만들었어.
"영원히 너에게만 그래."

나는 이 모든 기억들이 사그라지지 않기를 바란다.
내일이 되어도 그 다음 날이 되어도 나는 정말로 바란다.
왜냐하면 당신과의 기억들은 나를 살아가게도 하고 살아나게도 하고 살아지게도 하니까.
그렇다. 당신은 나를 완전하게 살아있게 한다.
그러니까 버릴 수 없다고. 나는 당신을.

"당신과 내가 먼 훗날 헤어진다면 어떨 것 같아요?"
당신은 슬퍼보였지.
"그건 거짓말 같을 거야. 매일 매일이 그럴 거야. 매 순간 순간이 그럴 거고."
나는 다시 물었지.
"그리울 것 같아요?"

당신은 희게 미소 지었지.
“아플 것 같아. 여기가.”
내 손은 당신 가슴에 올려져 있었고, 그 가슴은 미친 듯이 뛰고 있었지.
“뛰어요. 당신 가슴이 지금 많이요.”
당신은 얼굴을 붉혔어.
“널 보면 그래.”

어떻게 잊을까요. 어떻게 견뎌낼까요.
당신을.

오늘은 하루 종일 숙소에 머무르기로 한다.
아주 길지 않은 상하이 생활이었는데도, 쓸 데 없이 버리지 않는 좋지 않은 버릇 때문인지 여기저기 쌓인 물건과 자료가 많다. 정리가 되어야 한다. 보통 일이 아니다.
아마 오늘 하루로는 부족할지도 모른다.
우선 물건들부터 손을 대고 있다. 다행히 버릴 것 투성이다. 대부분 상하이에서 구입하거나 얻은 것들이라서 그런지 곳곳에 루의 흔적이 보인다.
이것 사는 데는 루가 직접 도와주고, 전적으로 루의 충고에 따라 구입한 저것들도 있다.
루와의 상하이 생활이 주마등처럼 나타나며, 물건 정리 속도가 현저하게 느려진다.

루와의 관계를 루 덕분에 제법 쿨하게 정리하였고 서로 친구로 남기로 하였으나, 사실 많이 미안하다.

솔직히 사랑은 아닌 것 같으나, 그 큰 헌신과 도움과 배려를 어찌 잊을 수 있겠는가.

루가 없는 상하이 생활은 생각도 하기 싫다.

이나는 문풍지처럼 감정적이었던 반면, 루는 항상 그 자리에 있어 주었다. 아마 그래서 이나로 인해, 아니 나 자신으로 인해 상처받은 마음에 루와 급속도로 가까워지게 되고, 상하이 체재 내내 지속되었는지도 모른다.

이 소중하고 고마운 많은 것들을 묻고 어찌 받아줄지도 모를 이나에게 돌아가려는 것을 보면, 운명이나 사랑이나 끌림의 커다람에 덜컥 겁이 나기도 한다.

무모한지도 모르는 사람을 어찌 막을 수 있겠는가.

마치 이나가 상하이에서 머무르는 내내 숙소 방문 앞에서 죽 서 있었던 것처럼 금방 손을 잡으려 하고 있다. 그 대단한 루 앞에서 말이다.

'인간은 결코 고상하지 않다.'고 누군가가 말한 것 같지만, 갑자기 너무 낭만적이고 반신반인이 된 기분이 난다.

물건 정리고 뭐고, 관심이 없어진다. 다 두고 간들 뭐 대수겠는가. 나의 숙명을 만나러 가는 길인데.

'낭만에 대하여'도 읊조리기 시작한다. 와인의 발상지라고 하는, 지중해 사이프러스 섬에서 한 번 마셔본 달디 단 디저트 와인인 '코만다리아 와인'을 우선 한 모금, 아니 세 모금쯤 마시고 싶다. 그리고는 내가 좋아하는 창청 레드와인 한 병을 혼자 다 마실 것이다.

정신이 멍해지며 오히려 여유로워진다.

열어놓은 창문으로부터 갑작스런 바람에 날아다니는 자료종이를 타고 이나에게 날아가고 싶을 따름이다.

이나는 감정적이지만 때론 논리정연하게 생각할 줄도 알았다. 이별이 닥쳐서 비판적이고 지금 상황에 매우 불행히도 암울하지만 그래서 더 다행이라고. 행복은 행복이라는 것과 슬픔은 슬픈 것이라고 그렇게 느끼는 것이 건강하다고.

"안녕하세요, 이나에요."

이나는 붙잡은 휴대폰을 놓치지 않을 사람처럼 한 손으로 잡고는 말했다.

시간도 오후였고, 그도 자신의 전화를 반갑게 받을 것이라는 생각이 앞섰다.

"네, 안녕하세요. 정신입니다."

이나는 고심 끝에, 발개진 볼을 남은 한 손으로 긁적이다가 말했다.

"그도 나를 사랑할까요?"

단도직입적인, 부연 설명이 없는 물음이었다.

"정말 그게 중요해서 묻는 건가요?"

그의 답변도 단도직입적이었다. 이나는 어쩔 수 없다는 듯이 옆에 놓인 소파에 털썩 몸을 앉혔다.

"그런 건 아닌 것 같아요. 문제는 나예요."

이나의 말에 그의 목소리는 빠르게 울려왔다.

"문제는, 이나 씨가 아니라 그렇게 생각하고 있는 지금이겠죠. 언제까지 이런 전화를 받아야 하죠? 그가 이나 씨를 사랑하고 있을까, 내가 고민이라도 해야 해요? 왜 사랑에 있어서 만큼은 솔직한 이나 씨답지 못한 거죠?"

이나는 그의 질타에 고개를 기울였다.

문득 작아지는 것만 같았다.

"내가 자신이 없어서 그래요, 자신이 없어서. 내 감정에도 그렇고 사랑에도 그렇고."

그는 한숨을 내쉬더니 말한다.

"명확하지 않은 사랑에 감정이라도 돼요? 그럼 뭘 고민해요. 떨쳐버려요, 그런 수준 정도의 사랑이라면."

이나는 화가 났다.

"난 그렇게 말한 적 없어요."

그의 목소리는 다시금 차분해졌다.

"그럼 문제가 될 건 없어요."

이나는 혼란스러워 물었다.

"무슨 말이에요?"

그는 꼭 그 질문을 기다려온 사람처럼 말했다.

"눈을 감아 봐요. 당신의 삶은 어둠이 아니라 눈을 감고 있기 때문이죠. 마음을 열어봐요. 이나 씨에게는 그가, 사랑은 언제나 이나 씨 곁에 있어요."

이나는 생각에 잠겼다.

불행이 언제나 내 곁에 있었는데, 그가 없는 내 삶이 불행이었는데.

"어둠이었나요? 그가 이나 씨 곁에 없어서."

정신은 정확히 짚었다.

이나는 저도 모르게 고개를 끄덕였다.

"네. 너무나 당연하게도."

그는 수긍하듯 말했다.

"그러면 그 반대의 삶은 어떨지 한 번 생각해 본 적은 있어요?"

이나는 덜컥 눈물이 차오르기 시작했다.

"있어요. 너무나 오랜 시간 있어요."

그는 꼭 웃고 있는 것 같은 목소리로 말했다.

"그게 이나 씨가 원하는 삶 아닌가요?"

이나는 그렇다고 정말로 그렇다고 말하고 싶었지만 그럴 수 없었다. 흐르는 눈물 때문이었다.

그리고 다시 그의 목소리가 들려왔다.

"인간은 누구나 자기가 원하는 선택을 할 권리가 있어요. 혹시나 그게 안 되더라도 손해 볼 것은 없어요. 당신은 충분히 아름다우니까."

이나는 흐르는 눈물을 닦아내며, 희미하게 미소 지었다.

"알았어요. 다시 생각해 볼게요. 오늘 고마웠어요."
그는 꼭, 같이 웃고 있는 것 같은 목소리로 답했다.
"행운을 빌어요."

이나는 들고 있었던 휴대폰을 내려놓고는 벽면에 붙은 창문 너머에 시선을 내려두었다.
꼭, 행운을 빌어주는 목소리가 그녀의 마음에 내려앉았다.
'당신의 삶은 어둠이 아니라, 당신이 눈을 감고 있기 때문이에요. 마음을 열어봐요.'
이나는 두 눈을 감았다가 다시금 스르르 두 눈을 떴다.
나는 불행히도 내가 원하는 대로 할 것이다.
이나는 스르르 미소 지었다.
'그게 나니까.'
창문 너머에서는 오후의 푸르스름한 구름이 뭉게뭉게 피어나, 하얀 솜털처럼 가벼운 느낌을 주고 있었다.
곧 이루어낼 소원을 담아낸 듯 맑고 깨끗한 구름이었다.
이나는 그 모든 풍경을 담은 두 눈을 하고는 중얼거렸다.
"행운을 빌어, 이나야."

드디어 한국 복귀 발령이 났고, 오늘 귀국하여 내일부터 본사에 출근하여야 한다.
숙소나 사무실 정리는 결국 딴 짓 많이 하다, 오늘 새벽까지 난리치며 겨우 정리하였다. 정리라기보다 결국에는 대충 버렸다고 하는 편이 옳을 것 같다.

어젯밤에는 루까지 도와주었다. 참으로 대단한 상하이 여인이다. 사실 오지 않아도 된다고 그렇게 사양했으나, 먹을 거 마실 거 잔뜩 들고 왔다. 내가 복이 많은 사람인가 보다.

그리고 당연히 고마웠고 미안했다.

혹시 오늘 공항에도 나올까봐 부디 그러지 말라고 신신 당부를 하였다. 하기야 회사 일도 있으니, 공항에 나오는 것은 무리로 보이긴 한다.

홍차우공항이다.

이나가 무슨 반응을 보일지도 염려되어, 아직 귀국을 알리지 않았다.

중국 있는 동안에는 그리 고마운 루에게 충실하기로 했기 때문도 있다.

귀국하였다는 얘기를 들으면 이나가 어떤 표정을 지을까?

벌써부터 궁금하다. 워낙 감정이 풍부한 그녀라 짐작하기도 쉽지 않다.

그러나 여러 얘기를 종합해 볼 때, 박대하지는 않을 것 같은 생각이 든다. 이 예측대로 되지 않으면, 나는 다시 크게 상처 입을지도 모른다.

'이나, 다시 잘해 보자.'

연습인지 소망인지를 입 안에서만 얘기해 본다.

이 말을 되뇌다 보니, 그녀하고 좋았던 장면들이 파노라마처럼 펼쳐진다.

'빨리 만나서 그동안 내 몸 속에서 간단없이 맴돌던 이나의 모든 흔적들을 뽑아내 마음껏 사랑해 주어야지.'

김포행 탑승객은 게이트로 오라는 안내방송이다.

동시에 휴대폰이 울린다.

루… 탑승시간 잊지 않고 전화를 해준 것이다. 다시 고맙다. 이제부터는 내 몸 속을 루가 맴도는 것은 아닐지 걱정이다.

"루 없었으면, 상하이에서 어떻게 살았을까 해요. 다시 고마웠어요."

"저도 덕분에 좋은 추억 많이 쌓았어요. 일도 많이 배우고. 부디 본사에서도 승승장구하시고, 특히 이나 씨하고 잘 되시길 바라요. 한국 출장 가면 맛있는 거 사주실 거죠?"

"그럼. 오기만 해요. 건강하고, 회사 일도 잘하시고…."

말을 제대로 이을 수 없어, 황급히 얼버무린다.

보딩을 시작해서인 것도 있다.

이렇게 상하이 생활이 끝나는구나.

좌석에 앉아 가지고 다니는 엠피쓰리를 켜자마자, 계은숙 목소리의 '기다리는 여심'이 흘러 나온다.

너를 그리워하다 너를 밤새 그리워하다
너를 밤새 꼬박 그리워하다 잠들게 되면
네가 나오는 꿈을 꾼다.

네가 내 꿈에 나오느냐 안 나오느냐에 따라
내 하루의 시작과 끝이 걸려 있다.

나는 오늘도 너를 부른다.
네가 무척 그립다고 혼자 마구 짖는다.
사랑해.

한국 본사에서의 생활이 시작되었다.

고국에 돌아온 기쁨도 잠시고, 기획 파트라 그런지 정신없이 바쁘다. 한국 와서 벌써 얼마간 예상을 크게 웃돌 정도로 정신이 없다.

그러는 와중에도 물론 수시로 이나의 얼굴이 바로 옆에서 어른거리고, 목소리도 옆방에서 부르는 것처럼 들렸다. 그렇게 주위를 맴도는데도, 바쁜 것으로 무장한 채 통화도 만나지도 아직 못했다.

아니, 하지 않았다가 더 맞는 말일 거다.

이나에 담긴 나의 마음을 속속 알 수 없기에, 현재 보이는 거 벌어지는 것에 더 강박적으로 매달리고 있는지도 모른다.

아직도 나만의 사랑이 아닌가 두렵다.

제범 사랑의 표현을 해봤는데도, 이나를 다시 만날 때 사랑의 표현도 아직 걱정된다.

참으로 겁쟁이 같은 생각이다.

이나가 나 때문일 것으로 보이는 이유로 자해까지 했는데도 자신감이 없다니…….

감정적인 이나 성격을 너무 잘 알기 때문인 점도 있다.

서로 만나 마음과 다르게 말들이 엇나가기 시작하면 예상되는 이나의 파르르한 감정이 참으로 우려된다. '감정의 이나'가 어찌 나올지는 아무도 예측하기 어렵고, 진짜 닥쳐봐야 안다.

경우에 따라서는 만나지 않는 편이 더 나을지도 모른다.

그림을 그리는 것은, 비슷한 것과 비슷하지 않은 것 사이라는 중국 화가 치바이스(재백석, 齊白石)의 말이 뜬금없이 그러나 지속적으로 떠오른다,

이젠 루도 정리되고 이나에 대한 사랑은 확고하게 되었고, 참으로 재결합을 원하고 있다.

아마도 재결합 후 사랑놀이 후에 예상되고 전에도 경험했던 무수한 사랑싸움 그리고 남녀가 아닌 인간 간의 싸움들에 지레 겁먹는지도 모른다.

그러나 그게 사랑의 본질이고 인생의 정체인데 어찌 하겠는가. 이번 바쁜 일만 정리되면 우선 전화를 하리라, 다시 다짐한다.

뭔가 일이 벌어질 거 같은 예감도 든다.

이렇게 한국으로 다시 이끌고 이나를 자해에서 회복되게 한 운명이 그대로 두겠는가?

역시 겁쟁이답게 운명 탓으로 별 수 없이 방향을 잡는다.

인간은 결코 고고하지 않고 따라서 만물의 영장이 아닌 것에 상심하지도 않는다.

'아주 먼 이야기가 여기 있다.

한 여자와 한 남자는 사랑했다. 그리고 그 둘은 헤어졌다. 이별, 그것을 만난 것이다.

그들의 삶은 불행했고 불안정했으며, 시체가 되어 하루를 살아갔다. 모두, 이별 때문이라고 사람들은 말하지 않았다.

그저 본인의 삶에 여유가 부족해서라고. 닿을 수 없는 것들이 사랑 말고도 우리 삶에는 많다고.

이별에 대해서 심각하게 생각했던 시간은 전부 거짓말처럼 우스꽝스러운 기억이 되었고, 삶은 점차 나아지고 있었다.

아니, 정확히 말하면. 헤어짐에 대하여 무덤덤해져 갔다.

그러므로 누군가를 만나고 사랑하고 다시 헤어지는 일에 대하여 생각해보기 시작했다.

내가 말하는 것은, 여기. 사랑을 말하는 것이다.

그리고 사랑이 끝났을 때를 말하는 것이다.

아주 비참하고, 불행하고, 굴욕적일 수도 있다.

이별 후에도 우리의 삶은 계속 되지만 사랑이 끝이 난 하루는 특별함을 찾아볼 수 없기 때문이다.'

카페 안.

유난히 긴 시간을 앉아 있던 이나는 노트북 모니터를 응시하면서 타자기를 두드리는 것을 멈추고는 고민에 빠졌다.

그리고는 무심코 중얼거렸다.

"어떻게 사랑에 대하여 정의를 할 수 있어?"

그리고는 시선을 창가 너머로 두었다. 카페 앞을 지나가는 사람들. 행복해 보이는 커플들이 있었다.

이나는 다시금 슬픈 얼굴을 하면서 노트북 모니터로 시선을 돌렸다.

'운명이라는 것이 있는지는 모르겠다. 나와 다른 남을 사랑하는 것도 기적이지만 그 상대도 나를 사랑하는 일은 더 기적인데. 그것이 운명이 아니면 뭐가 운명일까.'

이나는 고개를 시큰둥한 얼굴로 기울였다.

운명. 정말 그런 게 있다면 왜 아직 나는 모르는 거지. 왜 나에게는 일어나지 않는 일이지.

이나는 금세 눈시울을 붉힌 채로 고개를 돌렸다. 그런데.

"이나야…."

놀라운 표정으로 이나를 내려다보고 서 있는 이배가 있었다.

이나는 믿기지 않는 얼굴로 중얼거렸다.

"…나타났어."

이배의 얼굴은 슬퍼보였고, 무슨 말을 해야 할지 찾는 얼굴이었다. 이나는 그것이 놀라웠다. 아직, 느껴지는 것이.

이나는 퉁명스런 표정을 지었다.

"계속 서 있을 건가? 나 목 아픈데."

이배는 아차 싶었는지, 조금 느린 몸짓으로 이나와 마주 보는 자리에 앉았다.

이배의 얼굴은 빛을 담은 두 눈으로 인해 밝게 보였다.
"오랜만이다. 그동안 잘 지냈어?"
이나는 벌써 밀려오는 지루함에 손가락으로 귀를 후비면서 말했다.
"그런 대화를 하자는 건가, 헤어진 후 한참 만에 만났는데 그것도 이렇게 운명처럼?"
이배는 피식 웃음을 지었다.
"좋아 보인다."
이나는 담담한 얼굴이었다.
"당신도 그래."
그의 얼굴은 예전처럼 보이지 않았다.
어딘가 낯선 사람처럼 전과는 다른 표정으로 앉아 있었다.
두려움이 밀려왔다.
"중국에 있었어. 여자도 만났어."
그는 알 수 없는 표정으로 말했다.
이나는 답을 하지 않았고 잠시 침묵이 흘렀다.
먼저 입을 떼어낸 사람은 이배였다.
"많이 그립더라. 정말… 아주 많이."
이나는 눈시울을 붉혔다.
"그런 진부한 말을 하지 말…."
"너도 그랬니?"
말을 끊은 이배의 얼굴 위로 따스한 햇살이 내려앉았고, 그 순간을 기억하고 싶은 여자의 얼굴이 되어 이나는 그의 두 눈을 바라보면서 답했다.

"단 한 번도 잊은 적 없이 그랬어요."

이배는 일순간 환한 미소를 그렸다.

"그 대답 듣기 참 어렵네."

이나는 짧은 웃음을 짓고는 의미심장한 표정으로 고개를 기울였다.

"중국에서 만난 여자는 누구죠? 그새 사랑이라도 한 건가."

이배는 고개를 젓는다.

"아닌 거 알잖아. 그럴 수 없는 거."

이나는 흔들리는 두 눈으로 이배의 상기된 얼굴을 바라봤다.

그의 얼굴로 진지함의 그림자가 올라왔다.

이배는 입을 열었다.

"헤어져 있으면서 많은 생각을 했어. 내 삶이 불행할 때, 행복할 때, 다른 여자와 있을 때, 이건 아닌데 싶을 때. 널 생각했어."

이배는 말끝을 흐렸고, 그를 기다리기라도 하는 것처럼 이나는 입을 열지 않았다.

"…다시 시작하고 싶어, 이나야."

이나는 고개를 기울였다.

"보통… 사랑은 시작이 아니라 그냥 하고 있는 거죠. 내가 지금 그런 것처럼."

이배의 두 눈이 흔들렸고, 이나는 그것을 지켜보면서 진정으로 행복했다.

운명.

나와 다른 남을 사랑하는 것도 기적인데 그 상대가 나를 사랑하는 일은 더 기적이었다.

이나는 다물고 있던 입술을 떼어냈다.

"나와 함께 해줄래요? 이배 씨."

이나의 떨리는 목소리가 이배의 두 귀로 전달되었다.

이배는 행복한 웃음을 지으면서 고개를 끄덕였다.

"바라던 바로."

이나는 그해 처음으로 새하얀 미소를 지었다.

그들은 꽤 오랜 시간 서로를 바라보면서 앉아 있었다.

웃음이 끊이질 않았고, 햇살도 보기 좋게 그들 주변에 내려앉았다.

카페 안에 사람들의 시선은 무의식적으로 빛이 나는 그들을 향했고 그들의 특별함은 감출 수 없었다.

"당신이 사랑한다고 말해 봐요."

이나는 신이 난 아이처럼 응석을 부렸다.

이배는 단호한 표정을 짓는다.

"먼저 주도권을 넘겨줘라? 난 싫어."

이나는 만만치 않은 여자이었다.

"그럼 나도 싫어. 없던 얘기로 해요."

이배는 곤란한 표정을 마구 지었다.

"이 여자가 정말…. 원래보다 더 어려워졌잖아."

이나는 웃음을 터트렸다.

"내가 어려운 게 아니라 사랑한다는 말이 어려운 거죠."
이배는 쉽게 수긍하는 듯했다.
"그런 것 같군."
이나는 퉁명스런 얼굴로 입을 삐쭉 내밀었다.
"그 정도 수준밖에 안 돼요? 다시 시작할 수 있겠어?"
이배는 피식 웃으며, 앉은 자리에서 일어났다.
그리고는 아직 자리에 몸을 앉힌 이나에게 다가가 그녀의 마른 몸을 끌어안고는 조용한 목소리로 말했다.
"미친 듯이 사랑해."

깜깜함이었다.
불빛 한 조각도 보이지 않았다.
그 가운데 새끼손가락 손톱만한 빛이 어딘가에 나타나 서서히 밝아지더니, 갑자기 환해진다. 너무 다른 세상이다.
"들어가게 해주니 고맙고. 감회가 새롭네."
나도 잘 아는, 평범한 작은 평수의 아파트다.
이나가 전자키 번호를 누른다.
봄비가 더 세어진다.
비 때문에 서둘러서인지 금방 열지 못한다
"천천히 해요. 아직도 같은 번호?"
"다시 오실지 몰라서."
사랑스러움에 그녀가 비를 덜 맞게 등 뒤에서 더 감싸준다. 내 등이 꽤 축축해진다.

이나가 욕실에서 수건을 가져왔다.

"우선 물 닦으세요. 많이 젖었어요."

자기 젖은 것은 차치하고 나부터 챙긴다.

축축해서 편치 않던 기분이 대번 좋아진다.

"안 추우세요? 에어컨이 침실에 있으니, 이리 들어와요."

전과 별로 달라지지 않았다.

침대, 작은 책상, 티비, 화장대 등등.

그녀가 서둘러 에어컨과 텔레비전을 켠다.

권하는 대로 턱없이 작은 책상 의자에 걸터앉는다.

"몸 말린 후, 따뜻한 커피 한 잔 마실 수 있을까?"

"아까 잘 감싸주셔서 저는 별로 젖은 데도 없어요."

따뜻한 커피와 훈훈해진 침실에 눅눅해졌던 몸이 개운해진다. 이나는 욕실로 간다.

이나가 산뜻한 모습으로 돌아왔다.

아침 풀밭 냄새가 난다.

어느새 옷도 편하게 그러나 단정히 갈아입었다.

"집이 똑 같죠, 아니 좀 낡았죠?"

화장대 옆 앉은뱅이 의자에 앉으며 말한다.

"혼자 살아서 그런지. 아담하고 단정한 게 좋네."

"배 안 고파요?"

"아니. 먹는 것은 됐고, 와인 있으면 줄래?"

"따놓은 지 꽤 되는 것이 하나 있는 것도 같네요. 맛이 많이 변했을 것 같은데."
"이나 하고 마시는데, 그거래도 좋지."
거실 쪽으로 가더니 반 정도 남은 레드 와인을 가져온다. 잔에 담긴 와인 색이 나쁘지 않다. 향을 맡아본다.
"괜찮네."

앉은뱅이 의자가 불편해 보인다.
텔레비전에서도 너무 가깝고.
"이쪽으로 와. 불편하겠다."
작은 책상 옆 침대를 가리키며 말한다.
이나가 침대 쿠션에 등을 기대며 자주색 침대 커버 위에 앉는다.
"그래 이제 훨씬 편해 보이네. 다시 건배."
잔을 작은 책상 위에 놓으며, 그녀의 손을 잡는다.
"오늘 이렇게 집에서 좋은 시간 갖게 해주어 너무 고마워."
미소 짓는 이나의 입술에 내 입술을 가볍게 겹친다.
순간 움칠하더니, 내 입술을 기꺼이 받아들인다.
그녀의 입술이 바닐라 아이스크림같이 내 입술에서 녹는다.
두 손으로 이나의 턱을 가볍게 바치고, 이제 더 이상 이지적이지만은 않게 보이는 두 눈을 응시한다.
다시… 여기가 어딘지, 지금이 언젠지, 심지어는 우리가 누군지도 잊은 채 두 몸이 급해진다.
사랑으로 시작하였으나 걱정도, 바램도, 슬픔도, 기쁨도 모르는 상태가 된다.

어느 젊은 여자와 동유럽의 중세(中世)스러운 도시의 다리를 건넌다. 다리 밑 강을 보니 그 도시와 같이 침침하며 도도한 흐름이다.

섬뜩하다. 여자도 같은 느낌인지 갑자기 손을 잡는다. 어깨를 감싸준다.

하늘은 강물보다 더 검고 폭풍우가 언제라도 올 분위기다. 여자는 내 가슴으로 머리를 더 파묻고, 여자의 가슴이 내 가슴을 잔뜩 부드럽게 누른다.

같이하면 강물도 하늘도 겁내지 않으며 다리를 건널 수 있을 것 같다. 꿈이다.

내 팔을 베고 자고 있는 이나의 향긋한 머리칼이 내 코앞에 있고, 베란다 커튼으로 어렴풋한 밖을 보니 컴컴한 가운데 허연빛이 느껴진다.

커튼 틈 사이에서 몸부림치는 햇살이 눈에 어슴푸레 닿는다. 재결합 다음 날 아침이다.

그래서 그런지, 햇살이 아늑하다.

옆이 허전하다. 동시에, 귀에 물 끓는 소리가 들어온다.

"오늘 준비해야 할 행사가 있어, 삼십분 내에 나가야 해요."

좁은 복도로 연결된 작은 키친에서 들려오는 이나의 낭랑한 목소리가 햇살 같다.

"저 곧 나가니, 천천히 나오세요. 전자키 번호 기억하시죠. 오늘 좋은 데서 자축 저녁이나 해요."

다시 명령의 시작인가. 데자뷰다.

창문 밖 햇살이 맑다. 빨리 밖으로 나가고 싶다.

이나도 없는 조촐한 공간에 있을 이유가 없다.

회사도 가야하고.

다시 일상의 시작이다.

내가 당신에게로 갔을 때. 당신은 나를 보며 환하게 웃었다.

그날 유독 눈이 부신 햇살이 우리에게로 쏟아져 내렸다.

무엇 때문일까.

우리가 이토록 빛이 나는 까닭은.

"그래서요? 선생님은 연애 고수잖아요. 나에게 뭔가를 알려 줄 수 있잖아요."

이나는 환하게 미소 지으며, 귀에 붙여 든 휴대폰을 더 가까이 대면서 말했다.

휴대폰 너머에서 정신의 숨이 들려왔다.

"내가 연애 고수라. 글쎄요. 정신과 의사를 하면서 환자에게 처음 듣는 말이네요."

이나는 진심으로 궁금했다.

앞으로의 연애가 행복하려면 어떤 노력을 해야 하는지.

"선생님이라면 알 것 같은데요? 내가 이배 씨를 완전하게 가질 수 있는 방법 같은 거요."

정신은 작게 웃음을 터트렸다.

"결혼 같은 진부한 얘기를 하면 화낼 건가요?"

이나는 무심코 고개를 끄덕였다.

"당연하죠."

휴대폰 너머에서는 정신의 고민하는 숨이 전해졌고 얼마 후 그의 답변이 들려왔다.

"어느 라디오에서 그러더군요. 연극은 언젠가 끝나게 마련이라고."

이나는 뜨끔한 표정을 지었다.

정신의 목소리는 계속됐다.

"사랑은 처음부터 끝까지 노력이에요. 그리고 자신 그대로의 모습으로 그것들을 해내야죠. 별 수 없잖아요? 인간은 계속 사랑하기에 완벽한 동물이니까."

이나는 발끝으로 시선을 던지면서 입을 열었다.

"내가 잘해낼 수 있을지 걱정돼요. 예전 같은 실수를 하지는 않을지 난 사랑에 대해 미숙해요."

이나는 자꾸만 떨어지는 시선을 느끼지 못하고 약간 고개를 숙였다. 정신의 목소리가 그 고개를 들게 했지만.

"이나 씨."

이나는 숙였던 고개를 들고, 조용한 얼굴이 되어 정신의 목소리에 귀 기울였다.

"사랑에 대해서 완벽할 수 있는 동물은 없어요. 다만 끊임없이 노력하는 거죠. 이나 씨처럼."

이나는 비스듬히 미소 지었다.
"네. 그럴게요."
우리는 왜 그토록 빛이 나는 걸까.
내가 당신에게 당신이 나에게 어떠한 영향을 주는 건지도 모른 채 달콤한 오늘에 젖어들면서 반짝이는 내일을 기다린다.

당신도 그러한가?

두 강이 흐른다고 꼭 만날 필요는 없다.
만났던 두 강이 다시 갈라졌다 다시 또 만나야 할 필요는 더욱 없다.
그러나 우리는 그렇게 되었다.
운명이라는 말밖에 다른 표현이 생각나지 않는다.
그러나 운명에만 다시 기대할 수는 없다.
너무 힘들었고 아주 괴로웠고 너무 보고 싶었기 때문이다.
그것을 반복할 자신도 기력도 없다. 영혼을 팔아서라도, 다시 헤어지는 것을 막고 싶다.
루쉰의 글귀들이 내 가슴을 지나간다.
'희망이란 본래 있다고도 할 수 없고 없다고도 할 수 없다. 그것은 마치 땅 위의 길과 같은 것이다. 본래 땅 위에는 길이 없었다.'
우리는 이런 희망이 실존하도록, 길도 다시 만들 것이다.
사람들 각자는 너무나 특별하고 개별적인 존재이고 그런 생을 영위하여, 결국 산다는 것은 어느 각도에서든 결국 평행선을 그리는 것일지도 모른다.

그러나 우리는 그 말을 진지하게 부정하고 싶다.

여행 도중 우리가 처음 만나는 길은 무척 새롭고 아름답게 다가오지만 실은 그 길은 전부터 항상 그 자리에 그렇게 존재했다.

하지만, 우리는 무척 새롭고 아름다운 참으로 새로운 길을 준비할 것이다.

바다같이 깊은 사랑을 못 해보고 여태까지 살아왔는지 모른다. 그래서 어쩌면 여태까지 이렇게라도 살아왔는가.

하지만, 이번만은 더 이상 놓칠 수는 없다.

감성이 극에 달하는 순간, 어느 때보다 이성적으로 되는지도 모른다. 아니, 그 구분을 상실하는 것도 같다.

봄비 오는 꽃길 사이를 볼품없는 달팽이 두 마리, 바쁜 세상의 속도에 아랑곳없이 같이 갈 길을 가고 싶다.

우리가 사랑이라는 것을 하고 이별이라는 것을 할 때, 그 얼마나 특별해지는지를 말한다.

모든 순간이 반짝이면서 때로는 경이롭다.

날마다 다른 곳에 있는 것 같은 착각이 든다.

늘 함께 있는 것임에도 말이다.

사랑이 끝나서 이별이 오는 것이 아니라 더 이상 함께 할 수 없어서 이별을 만난다, 우리는.

세상에 선악이 존재한다면 아마도 이별 그것에도 존재하지 않을까. 사랑하는 사람에게 상처를 주는 일. 나쁜 일임에도 불구하고 이별을 말해야 하는 것. 그것만큼 책임감이 따르는 것이 어디 있을까.

우리는 사랑을 할 때보다 이별을 할 때 더 많이 생각해 봐야 한다. 내게 더 특별함이 찾아올 것 같지만 사실은 이미 소중했던 누군가를 잃는 일이다.

특별함에 묻힐 것 같지만 시간이 지나도 정말 소중했던 누군가는 잊을 수 없다.

이별, 우리의 이야기는 아직 끝나지 않은 것이다.

# 제2화,

# 그대와 결혼하여 사랑까지 했다

## I. 그대와 결혼하여 사랑까지 했다

결혼 3년차, 우리는 잠정적 이혼을 합의했다.
모든 사람들의 축복과 사랑을 받은 지 3년만이었다.
돈 많은 그와 평범한 그녀는 서로 너무 달랐다.
하지만 다름을 사랑했기에 결혼을 선택했다.
행복한 나날들을 보냈다.
다만, 더 이상 사랑이라는 생각이 들지 않았을 뿐이다.
가슴이 뛰었다.
그렇지만 그것이 매일이 아니었을 뿐이다.
잠정적 이혼 상태, 우리의 이야기다.

영수와 수연의 이야기다.

그들은 비슷한 나이이나, 재력과 권세가 크게 차이 나는 집안 출신의 커플이다. 둘이 좋아 영수 집안의 반대를 무릅쓰고 결혼에 골인하였다.

둘이 행복한 순간도 적지 않았으나, 뭔가 그들의 순조로운 생활을 막았다.

그 당시로는 헤어짐에 대해 털끝만큼도 생각한 적이 없으나, 그 묘한 그림자가 왠지 주위를 서성거리고 있었다.

어느 때는 꽤 멀리서, 어느 때는 상당히 가까이서….

이별과는 저 멀리 별과 같이 떨어져 있었으나, 신기하게도 그 먼 곳에서 순식간에 날아와 이별이 생활의 주제가 되었다. 다소 공상과학적인 이별이 이곳에 엄연히 존재하게 되었다.

좋은 아침이다.

침대 근처 닫아놓은 이중창에 햇살이 어른거린다.

수연과 별거하고 주로 미국에 있다가, 그녀와의 이혼을 마무리하기 위해 한국으로 와서 오랜만에 부모님 집에서 잠을 잤다. 어렸을 때 생각도 나고 기분이 좋다.

미국에서 좋은 여자를 만나서, 문제가 많던 수연과 완전히 결별하기 위해 한국에 온 것이다.

침대에서 벌떡 일어나, 한껏 기지개를 켠다.

'모든 게 다 있어, 너무 행복해. 아니, 불안할 정도야.'

아닌 게 아니라, 예쁘고 늘씬하고 돈도 있는 새 여자 로라(혜정), 재력과 권세가 만만치 않은 부모, 남 부러워하는 수입, 건강하고 탄탄한 몸….

수시로 자신의 운과 잘 만난 부모에 자부심을 느끼고 있다.

사실 수연과는 결혼할 때부터 쉽지 않았다.

예쁘고 재주도 많은 그녀한테 한눈에 반했으나, 부모님은 두 집안의 현격한 재력 차이를 문제 삼아 크게 반대하셨다.

그래도, 아들이 죽고 못 살겠다는데 어쩌시겠는가.

결국은 마지못해 허락을 받아 제법 성대한 결혼식을 올렸다. 화창한 봄날이었다.

그러나 신혼 초부터 고부간의 갈등이 만만치 않았고, 급기야는 수연의 강력한 요청에 따라 큰집에서 같이 살지 못하고 서울 요지 중형 아파트로 독립하여 나왔다.

그 후에도 수연과 시집과의 갈등은 계속 되었고, 그러다 보니 나도 은연중 수연에게 피로를 느끼기 시작하였다.

그 봄날 같았던 애정이 식는 데는, 화산에서 분출된 용암이 물을 만나 식는 것보다 늦지 않았다.

생각하기도 싫은 시절이었다.

고부 사이에서 감당도 안 되고 수연과의 생활도 싫어져서, 수연은 아파트에 두고 유학 겸 경영 연수라는 명목 하에 미국으로 도피하였다.

한국 애정의 파편이 애꿎은 미국에까지 튄 셈이다.

아예 이혼을 하고 가는 방법도 있었으나, 우선 피하기에 급했고 수연의 반대 등 이런저런 것들이 만만치 않아 보여 일단 그냥 떠났던 것이다.

로라 때문에 해결을 하러 오긴 했지만, 사실 뾰족한 수도 없는 상태다.

그저 가진 게 있다면, 돈이랄까.

하여간 왔고, 어쨌든 부딪쳐야 한다.

당장 오늘부터.

따사로운 햇살이, 느긋하게 나무 의자에 앉아 있는 수연의 머리에 내려앉았다.

수연은 생각에 잠긴 얼굴이었다.

서로의 뜻대로 결혼 생활을 약속하고, 각자의 바람대로 별거를 말했다.

"나는 너에게 더 이상 해줄 게 없다, 수연아."

수연은 덤덤했다.

"그래요? 영수 씨가 먼저 얘기해줘서 고마워요."

그날 그 순간, 어두운 창 밖에서는 물 붓듯 비가 쏟아져 내리고 있었고 빗방울들이 세차게 굳게 닫혀져 있는 유리창을 두들겼다.

수연의 얼굴이 금세 어두워졌다.

행복한 결혼을 꿈꿨다. 그리고 꽤 긴 시간 그러했다.

하지만 현재는 서로의 불행을 약속한 상태였다.

수연의 무표정 위로 점점 짙은 그림자가 드리웠다. 커져만 가던 그 사랑은 도대체 지금 그 어디에 있는 것일까.

눈에 보이고 심지어 만져지기까지 했다. 그것들은 다 어디로 사라져 버린 것일까.

수연은 그리 많은 것을 바라지 않았다.

다정한 목소리와 소중했던 그의 마음들이 영원하길 바랐던 것이 그게 그렇게 욕심일까.

나는 사랑을 바란 것인데, 사랑을 바라는 순간이 욕심이고 과욕이었다면 대체 결혼을 왜 약속한 것이지?

수연의 입에서는 작은 조소가 헛웃음과 함께 흘러나왔다.

그렇지.

사랑은 약속할 수 있는 것이 아니지.

"한국에 갈 거야."

불현듯 최근의 기억이 수연의 머리에 떠올랐다.

예상하지 못했던 그의 연락이었다.

"왜요? 한국에 오는 이유가 나와 관련된 일인지 궁금하네요."

그는 단조로운 말투로 말했다.

"그렇게 됐어."

일순간 파도처럼, 너무나 단조로운 그의 말투에 슬픔이 밀려왔다.

"그래요, 그럼."

나에게 로맨스가 무엇인지를 알려준 사람이고 남자였다.

내가 불행할 때 나의 곁을 지켜주고, 내가 즐거운 순간에 있을 때 나의 행복을 바라보고는 더 크게 웃어주었다.

그런데, 그랬는데.

나에게 둘도 없는 사람이자 남자였는데. 오늘날 나의 불행을 만든 사람이 되었다.

내 행복과는 전혀 관련 없는 남자가 되었다.

"기억나? 네가 스무 살 때부터 꾸던 꿈을 이루게 해주고 싶어."

수연은 다시금 찾아온 옛 기억에 고개를 절래 저었다.

그렇다.

지금 그녀가 운영하고 있는 작은 카페도 그의 선물이었다.

수연은 머리의 통증을 느끼고는 찬 손으로 이마를 만졌다. 그리고는 느릿하게 테이블 위에 올려둔 휴대폰을 들고는 몇 번 뒤적이더니 통화를 눌렀다.

"나나니? 응, 오늘도 내가 몸이 안 좋아서 카페에는 못 갈 것 같아. 네가 마감까지 맡아줄 수 있니?"

"아, 많이 안 좋으신 거예요, 사장님?"

수연은 지끈거리는 이마를 한 쪽 손바닥으로 매만지면서 답했다.

"아니야. 내일이면 나아질 거야. 고마워."

며칠 동안이나 카페에 출근하지 않고, 알바 생을 곤란하게 했던 것이 생각나서 수연은 조금 미안한 표정을 끝으로 휴대폰을 내려놓았다.

수연이 운영하는 카페의 이름은 'Marry Me.'였다.

수연은 또 다시 살짝 얼굴을 찡그리고는 가만히 두 눈을 감았다.

"그런데 카페 이름은 뭐로 할까요? 좋은 생각 있어요, 영수 씨?"

그날의 바람 냄새, 그 순간의 공기까지도 기억이 났다.

"Marry Me. 매일 너에게 하고 싶은 말이니까."

가끔은 그때가 그리웠다.

때때로 찾아오는 그때 그날의 순간들을 외면할 수 있는 용기가 없었다.

하지만, 이젠. 이제는 다 부질없는 감성이었다.

수연은 허리를 굽히고 두 다리를 끌어 모아 양팔로 감싸 안았다.

곧이어 무릎에 얼굴을 파묻힌 채 깊은 한숨을 내쉬었다.

'그때의 나는 어디로 사라졌을까.'

오늘 수연을 만날까 하고 손에 핸드폰을 든다.

전화를 할까 하다, 아침부터 감정에 휩쓸릴까 봐, 카톡을 연다. 수연의 계정이다. 사진들이 눈에 익숙하다.

한참 좋을 때 미국에 자주 같이 갔었다.

사업차 갈 때 동반해서, 아니면 휴가차.

모두 나와 미국에서 찍은 사진들로 도배되어 있다.

아직도 나만을 바라보고 있나?

나에 대한 시위용인가?

그냥 허세인가?

하여간, 기분이 묘하다. 가슴도 어리다.

오늘 카톡을 보내지 않기로 순식간에 마음을 정한다. 아니, 보낼 수 없을 것 같다.

잠시 서성거리다, 오늘은 사업 관련되는 일에나 전념하기로 하고 서둘러 이곳저곳에 전화를 걸기 시작한다.

한국에 다시 들어온 다른 이유는, 한국에 있는 투명망토 재료 연구 권위자의 자문을 받아, 미국이나 한국에 새로운 투명망토 재료를 활용하는 제품의 벤처회사를 설립해 볼까 해서다.

투명망토 재료는, 영국 소설가 조지 웰스(George Wells)의 19세기 소설에서 처음 얘기된 공상과학적인 개념이 과학자들을 자극하여 실현되려 하고 있는 꿈의 물질이다.

인류가, 특히 과학이 발전하다 보니, 그런 것까지도 만들어져 간다. 공상이, 꿈이 이루어져 가고 있다.

우선 A대학에 있는 장 교수를 만나기로 했다. 그의 연구실로 찾아가기로 했다.

국내외 연구현황과 사업화 수준을 심도 있게 이해하려면, 그것이 최선으로 보인다. 그리고 관련되는 분당 소재의 회사도 방문할 계획이다.

하루에 꽤 많은 것을 했다.

피곤하나 사업 관련 일을 해서인지, 머릿속은 오히려 맑다.

여러 생각이 꼬리를 문다.

부모님 댁에 들어서려는데, 휴대폰 벨소리다.

화면을 보니 미국에 있는 로라의 화상 전화다. 로라의 명랑한 얼굴과 함께, 다소 꼬부라진 한국어가 쏟아져 나온다.

"한국에서 잘 지내세요? 그 이혼 건은 착수하셨나요?"

"어, 로라. 나는 바쁘게 지내고 있어요. 거기 별 일 없지요?

아직 도착한 지도 얼마 안 되었는데, 이제 해야지요."
"그런가요. 하여간 잘 처리하시고, 건강하게 보내세요. 보고 싶어요."
미국식으로 마무리가 되었다.
'내일은 수연을 만나야겠어.'
중얼거리며, 거처로 쓰고 있는 방으로 들어선다.

내가 준 너의 상처를 나는 모른다.
너도 그렇겠지. 네가 준 나의 상처를 모를 거야.
그래서 나는 지금 너를 이해하는지도 모르겠다.
"나는 네가 알던 그때의 내가 아니야. 모르겠어? 한 번이라도 이렇게 선 긋는 나를 생각해본 적 있어? 수연아. 우리는 끝났어."
영수의 설득력 있어 보이는 표정을 바라보던 수연은 고개를 기울였다.
"지금 그냥 내 생각을 말하자면, 어떻게 그런 말을 내게 할 수 있나. 그 마음은 뭘까. 나로 인해 생겨난 것일까. 뭐 이런 건데…."
말끝을 흐리던 수연은 영수의 미묘하게 흔들리는 두 눈을 직시하면서 다시 말을 이었다.
"나에게 더 이상 최선을 다할 마음이 없구나."
영수의 얼굴은 미묘하게 당황스런 표정을 지었다. 수연은 약간 고개를 끄덕이면서 입을 연다.

"걱정 말아요. 당신한테 원하는 건 없어."

수연은 저도 모르게 흘러내리는 눈물을 닦아내지 않았다. 마주보고 있는 영수의 두 눈이 심하게 흔들렸다.

"사랑은 이렇게 끝나네요."

비가 많이 내리는 오후였다.

지난날 영수와의 시간도 함께 떨어져 내렸다. 테이블에 올려놓은 팔위에 턱을 괸 채로 먼 기억 속에 잠겨 있던 수연은 두 눈을 감았다.

사랑은 그렇게 끝났다. 그래그래. 끝이 났어.

"사장님! 밖에 세워둔 간판을 넣어놓는 게 낫겠죠?"

알바 생 여자가 급히 수연에게 물었다.

수연은 약간 피곤한 얼굴로 답했다.

"내가 할게. 그동안은 네가 했으니 오늘은 나한테 맡겨요."

그렇게 말한 수연은 느릿하게 자리에서 일어나, 한적한 카페 내부를 걸으면서 창밖을 바라봤다.

수많은 비가 쏟아져 내리고 있었다. 곧 있으면 더 올 거야.

수연은 조금 빠른 걸음으로 출입문을 열었다. 출입구 앞에는 허리 높이까지 올라오는 카페의 간판이 있었다.

내리는 비를 온몸으로 맞고 있던 수연은 얼른 고개를 숙이고는 펼쳐져 있는 간판을 접어서 들었다. 그런데 빗물 때문인지 오래만에 들어본 탓인지 너무 무거웠다.

'띠리리리~~'

수연의 휴대폰이 울렸다. 수연은 얼굴을 약간 찡그린 채로 주머니에서 휴대폰을 꺼내어 수신자 확인도 없이 받았다.
"네, 수연입니다."
수연은 휴대폰을 귀에 붙인 채로 무심코 정면에 시선을 던졌다.
많은 비가 내리는 오후. 길을 걷는 사람은 많지 않았다.
"전화 받을 수 있니?"
수연은 얼굴에 떨어지는 빗물들을 조금씩 닦아냈다. 앞이 더 선명히 보이길 원하면서 말이다.
"수연아 잠깐 시간 좀 내줘. 지금 가는 중인데…."
영수의 말이 끊어졌다. 그리고 그의 걸음도 멈춰졌다.
길에 사람은 많지 않았다.
수연은 앞이 더 선명히 보이길 원했다.
수연과 떨어져서 마주보던 영수는 멈춰진 걸음을 다시 떼어냈다. 얼마동안이나 지났을까.
이윽고 수연의 앞에 다다른 영수가 먼저 말했다.
"소나기를 우산 없이 맞는 버릇은 여전하구나."
수연은 빙그레 웃는다.
"영수 씨도 다를 게 없는 걸로 아는데."
영수는 머리칼에 앉은 물기를 한 손으로 탈탈 털어내면서 말했다.
"여자가 생겨서야."
한국에 온 이유를 설명하지도 않고 자신의 목적만을 말하는 영수를 표정 없이 바라보던 수연은 고개를 기울인다.

"그거 부탁이에요?"
영수는 진지한 눈을 했다.
"그래. 부탁이야."
수연은 표정을 감출 수 없었다.
우리의 이야기가 이렇게 끝이 나는 것을 상상해본 적은 있어도 겪어본 적은 처음이었다.
수연은 곰곰이 생각하는 얼굴을 하다가 이내 답을 찾은 듯 약간의 미소를 그렸다.
그 답은, 아주 오랜 시간 이전부터 수연이 상상으로만 내렸던 확신 같은 것이었다.
"…내 부탁을 들어주면 당신이 원하는 대로 할게요."
영수는 피식 웃으면서 물어왔다.
"부탁이 뭔데?"
수연의 가슴이 뭉클 아파왔다.
그렇지만, 그렇다 해도. 그녀는 작게 미소 그리고는 말했다.
"한 달만 같이 살아요. 우리."
다시, 쫓고 쫓기는 그들만의 게임이 시작되었다.
사랑, 그것을 원하나. 사랑을 바라나.

'복잡할 때는 가능한 단순하게 행동한다.'
어느 사업가로부터 한참 전에 들은 얘기인데, 왠지 지금까지 항상 기억하고 있다.
인간의 삶 자체가 그 어떤 본을 따라 살아가는 것인지도 모른다. 이번에도 그 말을 수연에게 간결하게 행동으로 옮긴 셈이었나.

그러나 뜻밖에 수연의 역습도 있었다.

하루 시간은 벌었으나, 거절할 마땅한 이유도 없고 마음이 생각보다 아프다.

'어떻게 하지…. 그런데, 판단의 문제가 아니라, 마음의 문제인 거 같네. 그렇다면, 마음이 돌아가는 대로 해야겠지.'
오늘 꽤 피곤하여, 졸음 반, 생각 반 상태가 된다.

더 이상 고민할 수도 없고 내일 아침에 다시 반복하기도 싫어, 즉시 나와의 사진들이 가득한 수연의 카톡을 열어 주저 없이 보내버린다.

"그래요. 몇 년도 살았는데, 한 달 더 삽시다. 단, 딴 방을 쓰며."

애정은 절대 아니고, 따뜻한 인정이라고 속으로 되뇌며.
몸이 개운해지며, 침대에 눕자마자 잠에 떨어진다.

카톡 여러 개 오는 소리에 잠이 깬다.

창에 햇살이 그득하다.

누워 있는 채로 옆의 침대머리 탁자에 손을 뻗어 휴대폰을 가져온다. 여러 개의 카톡과 문자가 와 있다.

우선, 수연의 카톡 계정을 연다.

"좋아요. 고마워요. 오늘 오실 거예요?"

무슨 반가워하는 이모티콘까지 와 있다. 자기 말을 들어줘서 좋은 모양이다.

헌데, 내 마음은 저리다. 한 구석으로는 불안하기까지 하다. 이러다가, 이혼도 이상하게 되고 로라도 오해하는 건 아닌지.

참, 로라에게도 즉시 알려야겠군.

거기는 아직 저녁 시간일 테니. 역시 명랑한 로라의 목소리가 요정처럼 튀어 나온다.

사실보다는 둘러대기로 한다.

"결혼해서 있던 아파트에 정리할 것들도 꽤 있고 하여 각방 쓰며 얼마간 가 있을 터이니 오해 말아요."

뜻밖의 말이라는 생각이 들었는지 로라의 목소리 톤이 다소 낮아졌으나, 역시 시원시원한 성격대로 답이 거침없이 돌아온다.

"알겠어요. 믿어요. 아이 러브 유."

미국식 연인 사이 대화의 후렴구가 따라 나온다.

수연한테도 답을 한다.

"오늘 밤에 갈게요. 벤처회사 차리는 문제로 일이 바빠서."

금방 답이 온다.

"첫날인데, 저녁이라도 같이 하면 어때요? 집에서나 외식도 좋고."

"사업 건으로 오늘 저녁식사 선약이 있으니, 집에서 와인이나 합시다. 좋은 와인 사가지고 갈 테니. 좋아하는 스위트 와인도 한 병 사갈게."

“오랜 만이네요. 기뻐요. 좋아하시는 디저트 좀 준비해 놓을게요.”

갑자기 신혼 때 같은 기분이 든다.

이런 분위기면 절대 안 되는데….

“에그 타르트가 나을까? 아냐, 아냐. 크랙?”

수연은 들뜬 마음으로 휴대폰을 마구마구 터치했다.

요즘은 배달 어플이 많이 발전해서 거의 모든 음식을 집에서 즐길 수 있었다.

수연은 기쁜 얼굴로 휴대폰 액정 화면을 뚫어지게 쳐다보고 있었다.

‘띠리리리~~’

수연이 뚫어지게 바라보고 있던 휴대폰 화면에 발신자로 뜨는 사람은 영수였다.

수연은 반가운 얼굴로 얼른 전화를 받았다.

“응, 끝났어요? 내가 고민이 있는데 에그 타르트랑 크랙….”

“오늘은 집에 안 들어가.”

곧 들려오는 영수의 거침없는 말에 수연은 말을 멈추었다. 그리고는 조용한 얼굴이 되어 입을 열었다.

“…무슨 일 있어요?”

휴대폰 너머로 영수의 낮은 숨이 들려왔다.

“잘 알잖아. 이러면 안 된다는 거. 곧 깨져 버리고 사라져 버릴 거라는 거."

수연은 허망함을 감추기엔 그리 노련하지 않았다.

"그렇지만 약속 했잖아. 분명히…."

"날 아직도 사랑하니?"

수연은 입을 다물었다. 초라함에 눈물이 차올랐다.

"수연아… 난 널 절대 볼품없게 만들고 싶지 않다."

완벽한 거절이었다.

너무나도 완전한 부탁이었다.

수연은 흐르는 눈물을 소매 춤으로 닦아내면서 말했다.

"오늘만이에요. 난 내일 당신 볼 거야."

영수의 나지막한 한숨이 들려왔다.

"수연아… 왜 날 이렇게 힘들게 해."

수연은 고개를 기울였다.

"설마, 내가 합의 이혼을 해줄 거라고 생각하는 건 아니지?"

일순간 영수의 짧은 침묵이 전해지고 다시금 그의 숨결이 닿았다.

"…그래, 아니지."

수연은 조용히 승자의 미소를 지었다.

슬프고 외로운 미소였다.

"에그랑 크랙 둘 다 먹어요, 우리. 그럼 꼭 내일 봐요."

그렇게 말하고서는 황급히 전화를 끊었다.

수연은 떨고 있는 몸을 양 손으로 감싸 안았다.

내가 방금 무슨 말을 한 거지. 정말 구질구질하잖아.

그렇게 생각하면서 허탈한 웃음을 터트렸다.

'날 아직도 사랑하니?'

영수의 물음이 떠올랐다.

어느 사이 다시금 가라앉은 얼굴을 하던 수연은 스르르 고개를 돌려, 먼지가 닦이지 않은 채로 벽에 걸려 있는 액자 속 사진을 바라봤다.

수연의 눈가에 조용한 눈물이 맺혔다.

액자 속에는 '영원한 사랑, 영수와 수연.'이라고 써놓은 결혼사진이 있었다.

일구이언을 하고야 말았다.

수연과의 그 분위기에 점점 자신이 없어졌다.

과거에도 그런 분위기에서 유야무야된 일이 한두 번이 아니었던 것을 생각하면, 당당하지는 못했지만 어쩔 수 없었다고 자변하고 있을 뿐이다.

감성적 표현을 잘하는 수연과, 매우 이성적이면서도 어떤 감성 앞에서는 자주 쓰러지는 내가 만나면 어쩔 수 없이 벌어지는 결과인지도 모른다.

하여간, 만만하게 양보할 수연이 아니기에, 벌써 내일이 걱정된다.

'너무 이러면 그나마 있는 정도 다 떨어질 텐데….'

모순덩어리지만 예쁘고 세상에 거침없이 덤비는 여자, 차분하지는 않지만 보통 사람은 갖지 못한 열정을 갖고 있는 여자, 향락적이고 이기적이지만 시원시원한 이 여자, 수연에게 나도 마음을 빼앗겼고, 많은 남자들한테 인기가 높았다. 그들과의 경쟁심이 우리 결혼을 맹목적으로 서두르게 하였지만 말이다.

이렇게, 수연과의 결혼도 숙명이었다.

하지만, 이런 장점들이 결혼 후에는 단점으로 작용하기 시작하였다. 물론 부모님, 특히 어머니와의 갈등이 직접적 원인이 되었고.

만남의 숙명, 헤어짐의 숙명….

세상에는 여러 가지 모습의 숙명이 있다. 그런데 왜 숙명으로 만나게 했으면 그대로 가게 하지, 길이 꼬이는 다른 숙명이 나타나는지 이해가 잘 안 되고, 마음에 들지도 않는다.

어느 달인은 그게 인생이다 할 것이나, 모순투성이다.

마치 수연 자체와 같이. 그런다고 이혼이라는 단어가 산산이 찢기는 것도 아닐 텐데, 인간들은 자주 큰 흐름과 다른 행위에 집착을 한다.

마치 도도한 개울 군데군데 크고 작은 소용돌이처럼….

좀 생뚱맞은 생각이 든다.

행복이란 뭘 버려야 얻어지는 것이 아닌가?

지금까지의 내 만남 중에 좋았던 것은 내가 진심으로 느낀

것들에서 나온 것이며, 끔찍한 경우는 내 보잘 것 없는 능력에 대한 자부심에서 나왔었다.

인간은 시간을 사물의 변화로 인지한다. 우리는 끊임없이 변하고자 애쓰면서도 완벽한 '멈춤'을 바란다.

그러나 극점은 머무를 만한 자리라기보다 비로소 떠나야 함을 통감하는 자리인지 모르겠다.

일단, 수연과의 내일 일은 잠시 접어두고, 내일 있는 다른 중요한 일인 투명망토 재료 관련되는 소재 회사와의 미팅 준비를 착수한다.

자연계에서 잘 알아보지 못하게 하는 방법은 보호색을 이용하는 것이다.

카멜레온처럼 주위 색과 비슷한 색으로 몸의 색을 바꾸어 자신의 존재를 숨기려는 것이 한 예다.

그러나 이것은 완벽한 사라짐이 아니고, 자세히 관찰하거나 하면, 들키게 될 것이다.

이런 것들과 차원이 다르게, 투명망토 재료는 빛이 이 재료로부터 아예 반사되지 않도록 만들어, 원천적으로 우리 눈에 감지되지 않게 하는 인위적 재료다.

우리가 무엇을 본다는 것은, 그 물질로부터 반사된 빛이 우리 눈에 들어왔다는 얘기다.

빛에 대한 굴절률이 마이너스인 인공 재료를 만들면, 아예 반사되지 않는 상태를 만들 수 있다. 마이너스 굴절률의 인공물질은 빛의 경로를 보통 물질과는 아주 다르게 꺾어줄 것이기 때문이다.

이 회사는 투명망토 재료를 전자파 차폐 등에 활용한 제품을 판매하면서 계속 개발하고 있다고 알려져 있어, 허용되는 한 그 기술 내용과 영업현황 등을 문의하고 탐색할 것이다.

## II. 결혼, 이대로 괜찮을까?

많이들 묻는다.

'누가 먼저 이혼을 얘기했어?'라고 돌려서 말하던지, '이번이 처음이래? 바람 안 피는 놈은 있어도 한 번 피는 놈은 없다.'라고 시원하게 날려주던지.

사실, 날 더 이상 사랑하지 않는 것이 죄라고 할 수 없다. 결혼이라는 약속을 파기한 것도 죄가 아니지.

어느 쪽이 나쁘고 어느 편이 잘못했다기보다 지키고 있던 행복을 무너트린 인간의 몫일 뿐.

수연은 그저 듣고 있었다.

화려하게 치장한 누군가의 아내인 여자들 옆에 앉아서 가끔은 호기심에 눈을 번쩍 뜨고 이야기를 주목하기도 했고, 밀려오는 무료함에 작은 하품을 하다가 도로 유리 테이블에 놓은 커피 잔을 매만지기도 했고, 미처 알지 못했던 재혼 6개월 차 친구의 눈물 젖은 이야기에 함께 눈시울을 붉히기도 했다.

"그런데 수연아. 너 정말 이혼할 거야?"

치장한 여인들의 시선이 수연에게로 집중했다.

수연은 괜스레 볼을 긁적였다.

"응?"

재혼해서 행복한 가정을 꾸리고 있는 친구는 수연의 심심한 반응을 보고는 한숨을 내쉬면서 말했다.

"그래. 나를 사랑하지 않는 남자와 함께 살면 뭐하니. 아무리 돈이 많고 능력이 있어도 말짱 꽝이지."

수연은 금세 가라앉은 얼굴을 했다. 그러자 수연의 옆에 앉아 있던 금발 머리 여인이 입을 열었다.

"…다시 사랑하게 하면?"

수연의 주위가, 가라앉았던 그 공기가 다시 햇빛에 반사되어 밝게 빛이 나기 시작했다.

금발 머리의 여인은 비스듬히 웃으면서 말을 이었다.

"생각해봐, 수연아."

앞서 수연에게 조언한, 재혼해서 행복한 가정을 꾸리고 있는 친구는 이해가 잘 되질 않았는지 조금 발개진 얼굴로 말했다.

"쉐리. 네 가정이 아니라고 너무 함부로 말하는 거 아니야? 너희 남편은 죽었지만 수연이 남편은 다른 여자를 사랑한 거라고. 네가 그리 쉽게 판단할 수 없는 슬픔이야."

금발 머리 쉐리는 느릿하게 손을 뻗어서 수연의 찬 손을 부드럽게 잡고는 입을 열어 말했다.

"차라리 죽는 게 낫지 않니? 다른 여자를 사랑하는 것보다."

잠시 동안의 정적이 흘렀다.

금발 머리 쉐리는 카페 내부 안의 조그마한 창문으로 낮은 시선을 던지면서 말을 이었다.

"어느 슬픔이 더 크다고 할 수 없어. 떠나가는 건 마찬가지니까. 사랑도 그런 것 아니겠니? 네가 그 남자를 더 사랑했을까, 수연아?"

수연은 뜻 모르게 붉어지는 눈시울을 감출 생각을 못 했다.

내가 더 사랑했을까?

그가 나를 더 사랑했을까.

수연의 찬 손을 잡고 있던 쉐리는 조그마한 미소를 그리면서 말을 이었다.

"너는 얼마나 그 남자를 사랑했고, 그 남자에게 사랑받기 위해 얼마나 많은 노력을 했니, 수연아?"

수연은 한 마디도 내뱉을 수 없었다.

단 한 마디도. 어떻게 한 글자도.

수연은 밀려오는 복잡함에 흔들리는 눈을 했다.

그런데 쉐리와 맞잡은 손에서 쉐리의 힘 있는 손의 힘이 느껴졌다. 수연은 스르르 고개를 돌려서 쉐리의 미소 지은 얼굴을 마주봤다.

쉐리는 슬픈 얼굴로 꽤 아름다운 미소를 짓고 있었다.

"다시 사랑하게 만드는 거야. 너를 위해 너의…."

쉐리는 그 고운 얼굴로 다시 작게 웃음을 지으면서 말을 이었다.

"아직, 사랑중인 사랑을 위해."

방문할 회사로 향하는 차속에서도 오늘밤 수연에게로 가야 하나 마나 계속 고민을 한다.

수연을 너무 몰아붙이면 결과가 별로 좋지 않을 것은 확실하다. 그 성격과 자존심 등을 생각할 때.

그렇다고, 일단 들어가도 이런저런 유혹과 시련이 기다리고 있을 것도 분명하다.

인생을 살다보면 이러지도 저러지도 못하는 경우가 간혹 있게 마련이다.

이런 때에 대한 태도는 성격에 따라 달라질 수 있다.

보다 적극적인 사람은 문제를 극복하려 본인이 주도적으로 움직일 것이다, 그 반대의 사람은 덜 골 아픈 쪽에 몸을 맡기고 운명을 받아들이지 않을까.

이런 식으로 생각하니 답이 조금 보이기 시작한다.

나는 그래도 적극적인 편인 사람이다.

문제를 극복하기 위해, 호랑이와 맞닥뜨리려면 호랑이굴로 가야 할 것으로 보인다. 호랑이굴이라….

그 예쁘고 애교 많던 수연과 꿀 넘치며 같이 살던 아파트가 호랑이굴이라.

생각의 끝에 서니, 운명의 처연함이 보인다.

이런저런 고민을 계속하다 보니, 내비를 켜놓았는데도 길을 놓쳐 회사로 가는 시간이 다소 더 걸리고 있다.

중요한 약속인데 시간을 어기면 안 되니, 운전에 집중하며 조금이라도 빨리 가도록 노력해야 한다.

저기 회사가 보인다.

첨단제품 회사는 아무래도 마켓이 제한되다 보니 규모가 작은 경우가 많다. 이 회사는 투명망토 재료의 전자파 응용제품이라는 첨단 아이템을 생산하면서도 이 정도 규모가 된다는 것은, 이와 같은 제품 분야도 일단은 청신호라는 뜻일 것이다.

다시 사장실로 안내되어, 커피를 대접받는다.

사장은 나이가 좀 들어서인지 첨단산업에 어울리는 전문가 스타일은 아니나, 배석한 고위 기술진들이 이 분야 전문가 냄새를 물씬 풍긴다.

이 또한 이 분야 투자나 회사 설립에 안심이 되는 점이다.

회사 회의실로 안내하여, 회사 전반과 투명망토 재료 관련 영업 세부내용에 대해 브리핑해준다.

대략적인 모습은 소개되었으나, 당연한 얘기겠지만 기술의 세부내용까지 공개하지 않는다.

"한 사장님, 여러 정보와 시간 할애 감사드립니다. 크게 도움이 되었습니다."

"무슨 말씀을. 저희 회사에 좋은 투자 부탁드립니다."

이 회사는 자기네에 투자하는 것을 염두에 두고 여러 편의를 제공하였으나, 내 생각은 돌아가서 검토하고 다시 정리하여야 한다.

어느덧, 늦은 오후가 되었고, 서울강남에서 오랜만에 보는 친구와 저녁식사 후 수연 아파트로 가야 한다.

생각만 해도 답답해진다. 한편으로는, 성격답게 한 번 해보자는 생각도 고개를 내민다.

수연은 초조한 얼굴로 손톱을 물어뜯었다.

지난 날, 쉐리의 말이 머릿속에 빙빙 맴돌았다.

'다시 사랑하게 만드는 거야. 너를 위해, 너의 아직 사랑 중인 사랑을 위해.'

수연은 자신 없는 얼굴로 고개를 푹 숙였다.

지금도 충분히 아름답다고 생각했던 자신이 한 순간에 초라해짐을 느끼고 있었다. 다른 여자를 사랑하는 남자의 마음을 뺏어오기란 쉽지 않은 일이었다.

그리고 얼마동안이나 시간이 흘렀을까.

수연은 긴장한 듯 마음을 추스르고는 곁에 둔 휴대폰을 들어서 영수에게 전화를 걸었다.

몇 번의 신호음 끝에 그가 받았다.

수연은 놀라울 정도로 침착했다.

"오렌지 주스 사오라는 말을 깜빡 잊었어요."

수연은 무서울 정도로 무미건조한 음색으로 말했다.

영수는 덤덤했다.

"알아. 지금 내 손에 들려 있지."

수연은 고개를 기울였다. 설마 하는 얼굴로.

"…어디에요?"

그리고 그때, 번호 키를 누르는 소리가 들려왔다.

맙소사.

수연은 놀라운 얼굴로 천천히 현관문 앞으로 걸어갔다.
"나도 믿지 못하겠지만…."
그러자 현관문을 열고 들어오는 영수가 있었다.
영수는 빙그레 웃음을 짓고서는 말했다.
"다시 너의 곁으로 왔네."
수연은 어색한 듯 미소 지었다.
"말버릇은 여전하네요."
그렇게 말하면서도 영수에 손에 들려 있는 오렌지 주스가 담긴 종이봉투를 뺏어들면서 부엌으로 향했다.
영수는 가볍게 신발을 벗고, 꽤 오랜 시간 오지 않아서 변할 줄 알았던 집 내부로 들어섰다. 역시, 꼼꼼한 수연의 손길로 인해 더 정갈해진 내부의 모습이었다.
영수는 낯선 듯 고개를 두리번거리면서 입을 열었다.
"내 서재도 그대로인가? 아…커튼 색이 바뀌었구나."
계절마다 바뀌던 커튼 색과 날씨의 영향인지 그날 기분의 영향인지 수연이 조금씩 바꿔놓던 가구의 위치가 문득 생각났다.
영수는 조용한 얼굴이 되어 자신의 서재로 들어섰다.
영수의 책상과 안쪽에 마련된 드레스 룸까지의 거리에서 바뀐 것이 있다면 소소한 그림액자를 걸어두었다는 것이었다.
영수는 고마움에 살며시 미소를 지었다.
"집 구경 끝났으면 이리 와서 도와줘요."
수연의 부름에, 자신도 모르게 미소 짓고 있던 영수는 부엌으로 향했다.

수연은 미리 사둔 과일을 투명 볼에 담았다.

절로 흥얼거림이 나왔다. 신혼 때로 다시 돌아간 것만 같은 기분이었다. 정말이지 그랬다.

"요리할 때마다 그렇게 기분이 좋은 여자였지. 너는."

어느 사이 부엌 식탁으로 자리한 영수의 목소리가 들려왔다.

수연은 애써 무심한 얼굴을 했다.

"당연하죠. 어떤 여자가…."

말끝을 흐리는 수연은 뒤를 돌아, 영수의 얼굴을 바라보면서 비스듬히 고개를 기울였다.

"사랑하는 남자를 위한 시간이 행복하지 않을 수 있어요?"

그 우직하던 영수는 흔들리는 눈을 했다.

수연의 입가에 미소가 걸렸다.

"와줘서 고마워요, 영수 씨."

수연의 따뜻한 시선이 영수의 어색한 기류가 흐르는 얼굴로 향했다.

영수는 정말이지, 난감한 얼굴이었지만 수연은 그럴수록 유리하다고 생각했다.

사랑은 늘 난감하게 찾아오니까.

예상대로 아니 생각 이상으로 난감한 상황이 전개된다.

어느 때는 자연스럽게, 다른 때는 수연의 연출로 보이는 경우다. 참으로 걱정된다.

보니 별도의 침실이 없는 것은 아니나 내가 별로 좋아하지 않는, 온돌 바닥에서 자야 한다.

수연의 침실에는 과거의 킹사이즈 침대 대신에 트윈 침대가 있다. 이것도 내가 들어오는 것을 대비한 작품으로 보인다.

우선 밤에 어디서 자느냐의 중요한 결정이 기다리고 있다.

수연은 당연히 트윈 침대 사용을 제안할 것이다.

"과일 신선하죠? 자, 이제 약속대로 와인 할까요? 사 오신 거로 할까요, 집에 보관하는 거로 할까요?"

"아무거나 좋지. 마시려고 사온 것이니, 가지고 온 것부터 마시지?"

선홍색 와인이 향긋한 냄새를 풍기며 두 크리스탈 와인 그라스 속에 자리 잡는다.

"건배. 집에 돌아오신 것을 환영해요."

그라스 속의 와인은 출렁거렸으나, 내 속은 그리 편치 않다.

수연도 비슷할 것이다.

아니 즐거워하고 있나.

대단한 집념의 여자다.

이런 어색한 환경에 감히 도전을 하다니.

"이러고 있으니, 미국 같이 갈 때마다 근처 바에 가서 와인 마시던 생각이 나요. 특히 언젠가 샌디에이고 갔을 때 호텔 근처 이탈리아 레스토랑의 바에서 와인 많이 마시던 생각이 나네요. 그때 특별히 부탁해 주셔서, 제가 재즈곡 피아노 연주 한 번 해서 손님들한테 박수 받았잖아요."

수연이 과거의 좋은 때를 연상시켜 주며 좋은 분위기를 잡으려고 한다.

수연은 피아노 전공도 아닌데, 어려서부터 피아노를 배우고 손도 길고 해서인지 간혹 재즈곡을 자신 있게 연주하곤 했다. 수연은 예쁠 뿐 아니라 재주도 많아, 이런 수연을 자랑스럽게 생각하곤 했었다.

그런데도 이런 운명이 되었다.

누가 감히 운명과 인생을 예측하겠는가.

점점 감성적으로 된다. 이러면 안 되는데.

화제를 돌려본다.

"내가 잘 방에 침대가 없던데?"

"그 방이 좀 작아 침대를 해놓지 않았어요. 불편하시면, 메인 베드룸을 트윈으로 해놓았으니 거기서 주무세요."

수연이 빙글 미소를 짓는다. 예상대로의 얘기다.

"오랜만에 온돌에서 자보지 뭐. 한국에 왔으니."

수연의 표정이 담담하다. 예상했듯이.

"사업 문제 때문에 자료 검토를 해야 되어서 서재로 갔다 자러 갈게. 굿나잇."

"그래요. 항상 바쁘시니까. 오늘 와주셔서 고맙고요, 잠자리 불편하시게 해드려 미안해요. 굿나잇이에요."

이렇게 동거인지 재결합이 시작되고 있다.

수연은 얼굴을 찡그리면서 몸을 뒤척였다.

악몽을 꾸는 얼굴은 아니지만 그녀는 몹시 불편한 표정을 지었다. 수연은 잠결에 순간적으로 다리를 철퍼덕 소리가 날 만큼 뻗었다.

그로 인하여 잠에서 완전히 깬 수연은 약간 놀란 얼굴로 눈을 비비고는 누운 자리에서 일어났다.

갈증이 났다. 수연은 느릿하게 침대에서 내려와, 게으른 걸음으로 문을 열고 나갔다.

졸린 얼굴로, 부엌으로 향하던 수연의 걸음이 잠시 멈춰 섰다. 고요한 밤. 영수의 목소리가 들려오는 까닭이었다.

"지금 그 말씀은 의미가 없어요, 아버지."

수연은 표정을 굳혔다.

영수의 아버지라면, 그의 비밀 같은 존재 그리고 전화할 정도로 친분이 있는 사람은 아니었다.

수연은 저도 모르게 침을 삼켰다.

"말씀드렸잖아요. 아이 가질 생각도 기회도 만들지 않을 겁니다. 변함없어요."

수연은 조금 커진 눈으로 영수의 방에 시선을 주었다.

그랬다. 그와 나는 정말이지 단 한 번도 아이에 대해서 얘기를 나눠본 적이 없었다.

수연은 넋을 잃은 얼굴로 벽을 짚고는 섰다.

왜였을까. 지금에서야 그것을 이상하게 여기는 까닭이.

수연은 의심스런 얼굴을 약간 들어올렸다. 나는 왜 그동안 그와 육아에 대해서 대화 나눌 생각을 안 했지? 맙소사. 아이 낳을 생각도 안 했었다니.

수연은 망연자실한 얼굴로 마구 머리를 헝클였다.

"뭐해?"

갑작스레 들려오는 영수의 목소리가 수연의 낮췄던 고개를 들어올렸다.

수연은 놀란 눈으로 멍하니 영수의 무심한 얼굴을 바라보면서 서 있었다.

영수는 피곤한 듯 얼굴을 문지르면서 말했다.

"들어올 거면 그러든가."

수연은 얼떨떨한 표정을 지으면서 우선 걸음을 옮겼다.

영수를 뒤따라서 들어온 영수의 방 안에서는 유리창 너머로 들어오는 달빛 탓인지 분위기 탓인지 조금 차갑고도 추웠다. 영수는 온돌에 가볍게 앉은 채로 수연을 올려다보면서 입을 열었다.

"내가 와서 불편해? 너 남이 있으면 잘 못 자잖아. 연애 초반에도 그랬고."

수연은 가라앉은 얼굴이 되어 있었고, 그 얼굴은 어두운 밤에 잘 보이지는 않았다.

"…왜 그랬을까. 우리는."

영수는 물음표를 그려 넣은 얼굴로 물었다.

"뭐가?"

수연은 비스듬히 고개를 기울였다.

"난 영수 씨를 정말 많이 사랑했는데… 그동안 단 한 번도 아이 가질 생각을 안 했어요. 근데 그건 당신도 같잖아. 우리가 너무 바빴나…. 아님…서로에게 진지하지 않았나. 서로의 인생에게도."

영수는 말없이 수연을 올려다보다가 넌지시 말했다.

"우린 서로만으로 너무 충분했지, 수연아."

수연은 고개를 가로저었다.

눈물이 차올랐다.

"아이가 있었으면 더 행복했을 거야. 지금보다…. 어제보다… 더 행복했을 거야."

영수는 낮은 한숨을 내쉬었다.

"그랬을지도 모르지. 하지만 상황이 달라졌잖아, 수연아."

수연은 순간적으로 헛웃음을 터트렸다.

"대단하네요."

영수는 다시금 말이 없었다.

수연은 어느 사이 눈물을 뚝뚝 흘리고 있었다.

"그렇게도 이성적이고 어른스러워서 참… 당신은 좋겠어."

수연은 계속해서 흘러내리는 눈물을 소매 춤으로 닦아내면서 말을 이었다.

"내가…. 나는요…."

수연은 낮게 목소리를 깔았다.

"가끔 당신이 무서워."

영수는 굳어버린 채로 가만히 앉아서 수연의 뒷모습을 바라봤다. 소리가 날만큼 '쾅.' 닫힌 문 뒤로 아마도 수연은 울고 있겠지.

영수는 매마른 입술에 침을 묻혔다.

그리고는 긴 한숨을 내뱉었다.

밤이 깊어지고 있었다.

"굿모닝."

수연이 어제 방에 준비해 놓은 잠옷 바람으로 방에서 가까운 욕실로 걸어가는 뒤로 수연의 아침인사다.

"굿 모닝." 하며 뒤를 돌아본다.

수연이 눈에 설은 에어프런까지 하고, 아침준비를 하고 있는 것 같다.

어제의 눈물은 다 어디로 가고, 창으로 들어온 아침햇살처럼 맑으면서도 화사하다.

"아침 많이 말아요. 많이 안 먹으니까."

"그럼요. 다 알고 좋아하시는 것만 몇 가지 준비 중이네요."

신혼 초 같으면 가서 깨물어 주기까지 할 텐데, 무심히 욕실로 들어간다.

과거처럼 양식으로 간단히 준비한 아침식사를 예전보다 더 빨리 마친다.

급히 어제 찾아갔던 회사로 다시 갈 일이 생겼다. 그러다보니, 수연과 실랑이할 시간도 없다.

물론 오늘 밤에 다시 뭔가 벌어지겠지.

어젯밤 방문했던 회사 상황을 들여다보니 여러 문의사항이 발견되고, 어제 시간이 없어 둘러보지 못했던 공장의 관련시설도 아무래도 둘러보아야 할 것 같다.

새벽에 어제 만난 사장에게 카톡을 보내 놓았는데, 다시 환영한다는 답이 왔다.

회사에서 문의도 하고 답변도 듣고 추가 자료도 받았다. 시설도 대략 둘러보았는데, 현대적으로 잘 구비되어 있는 것 같다. 성능평가와 특성측정 시설이 아주 훌륭해서 신뢰가 간다.

무엇보다도 생산시설이 바쁘게 돌아가고, 생산된 물품이 체계적이고 신속하게 출고되는 느낌을 주어 크게 만족스럽다.

물론 오늘 보고 들은 내용도 정리하고 추가 자료도 검토해 봐야겠으나, 이제 여기다 투자를 하여야 하나, 새로 회사를 차려야 하나를 결정해야 하는 고민이 짙어간다.

회사를 출발하여 서울로 다시 돌아오는 차 속에서 전화가 울린다. 얼핏 화면을 보니 로라다.

블루투스 스피커폰으로 전화를 받는다.

"어떻게 지내세요?'

역시 시원하고 명랑한 로라의 말이 흘러나온다.

"어제 카톡 했더니 답이 없어 이상하다 했더니, 전화했네.

나는 바쁜데, 잘 있지? 말한 대로, 수연 아파트로 어제 들어갔어. 다른 방법이 없는 거 같으니, 잘 이해해줘요. 그냥 하숙집처럼 지내기 시작했으니, 아무 걱정 마시고."

로라가 원할 답을 한꺼번에 쏟아내었다.

"그렇다면 안심이네요. 그래도 조심하세요. 여기서 걱정 많이 하고 있으니. 보고 싶어요. 너무 보고 싶으면, 제가 한국에 갈지 몰라요."

"정 그러면, 그래야지. 내가 로라 성격을 아니. 거기는 별일 없고?"

"미국이야 항상 그렇잖아요. 잘 아시면서."

"회사 추진 때문에도 바쁘니, 너무 그 일에 신경 쓰지 말아요. 또 연락해요."

"Honey, please take care. I love you."

(당신 몸조심하세요. 사랑해요.)

어느덧 서울 반포 출구가 보인다.

은행도 들르고, 부모님 댁에도 들러야 한다.

저녁 식사를 절대 수연과 같이 하지 말라고 난리시다.

다시 전화가 울린다. 수연이다.

일단 받지 않고, 나중에 해주기로 한다. 아마도 저녁에 오느냐, 무얼 먹고 싶냐 같은 애기로 보인다.

"카페에서 연애질을 한다는 말은 정말 심하지 않아요, 사장님?"

알바 생 여자는 침을 튀기면서 열변을 토하는 중이었다. 가끔 찾아오던 중년의 여자 손님이 기억이 난다.

알바 생 여자에게는 진상 손님이었지만 수연에게는 특별할 것 없었던 중년의 여자.

수연은 작게 미소 지으면서 창밖을 바라봤다. 비가 오려나.

"제 얘기 듣고 있어요, 사장님!"

수연은 옅은 잔상에 빠져 있던 얼굴을 약간 끄덕여줬다.

"하. 제가 그래서요. 남자친구를 카페에 못 부를 지경이에요.

그렇지만 이곳에 오면 너무 좋단 말이에요. 그냥 편해요. 미래 얘기도 하구요."

수연은 창 밖에 빗방울이 조금씩 떨어지는 것을 지켜보았다.

아침에 들었던 오늘 라디오에서 곧 장마가 시작된다더니. 정말이구나.

비가 오는 날을 좋아했었다. 그랬었지.

"…미래 얘기?"

가라앉은 얼굴을 하던 수연은 고개를 돌려, 알바 생 여자를 바라봤다. 여자는 이제야 자신의 말을 경청하는 듯 보이는 수연을 반겼다.

"네. 결혼하고 싶어요!"

수연의 고개가 낮아졌다.

여자는 아랑곳하지 않은 채로 말을 해나갔지만.

"같이 살고도 싶어요. 어느 책에서… 이주희 작가였나? 그 작가가 말하더라고요. 멋진 사람과 결혼하는 것보다 같이 있을 때 자신을 멋지게 만들어 주는 사람과 결혼하라고. 그런데 그 남자가 딱 그래요! 같이 있으면 내가 꼭 공주가 되는 것 같아….”

“하지 마.”

자신의 말을 가로막은 수연을 그제야 이상한 듯 바라보던 여자는 떨떠름한 얼굴로 말을 이었다.

“…정말인데, …그 남자는 멋있기만 한 게 아니에요. 자기 여자를 멋진 여자로 만들어주죠. 그뿐인 줄 알아요? 그 남자는….”

“행복할 것 같니?”

수연은, 기쁜 얼굴로 말을 멈춘 여자의 얼굴이 점점 굳어가는 것을 바라보면서 말을 이었다.

“넌 내가 행복해 보이니?”

여자는 수연의 슬픈 두 눈을 마주보면서 입을 다물었다.

수연은 이내 고개를 끄덕거리면서 걸음을 내디뎠다.

“다행이구나.”

여자는 그제서야, 자신을 지나쳐서 걷는 수연의 뒷모습에 시선을 주었다. 그리고는 문득 고개를 돌려서 창 밖에 흐린 풍경으로 많은 비가 쏟아져 내리는 것을 바라봤다.

장마가 시작되었다.

**수연의 아파트에서 지낸 지도 몇 날이 되었다.**

어떻게 버틸 수 있을까 걱정이 많았는데, 어색하고 정상은 아니지만 아직까지는 큰 탈은 없다고 볼 수 있다.

다행이다.

오늘은 별도의 저녁 약속은 없으나 부모님 댁에 가기도 귀찮아, 수연의 아파트에서 그리 멀지도 않은 와인 바에서 식사 겸 레드와인을 마시고 있다.

아직 수연의 아파트에서 저녁식사를 한 적은 없다.

단둘이 포근한 저녁식사를 하는 것이 제일 두렵다.

부부의 친밀성을 회복하는데, 이거처럼 좋은 방법은 없을 것으로 본능적으로 느낀다.

와인 바 창 밖에는 비가 쉬지 않고 세게, 약하게 무작위로 반복해가며 내리고 있다.

'이른 장마인가?'

이게 장마라면 이 장마가 끝날 즈음까지 잘 견뎌내야 하는데…. 순간적으로 이 장마가 걱정이 된다.

감정의 수연이 우울한 장마기간 동안 감정의 기복이 있을지도 모른다. 나도 모르게 와인을 한 모금 마신다. 장마가 목을 타고 내 가슴속으로 들어가는 기분이다.

와인 본토인 미국 캘리포니아 나파밸리에서 소믈리어 공부를 했다는 키가 훤칠한 여자 매니저가 어느새 다가와 프로답게 한 잔을 따라준다.

"고마워요. 요새도 나파밸리에 가나요?"

"계속 배워야 하는데, 요새는 여기 일 때문에 여의치 못합니다."

불현듯 수연과 신혼기간에 나파밸리에 구경 갔을 때 생각이 떠오른다.

저녁식사를 하러 들렀던 이탈리아 레스토랑에 그 해인가, 그 전해인가 와인 상을 받은 나파밸리 생산 와인이 있다고 해서 값도 생각보다 저렴하여 과감히 주문하여 마신 적이 있다.

좋을 거라고는 생각했으나, 상상을 넘어 목으로 실크가 감겨 들어가는 오묘한 느낌을 받았다.

"와인 묻힌 수연이 입술 같은 느낌이네."

수연에게 이런 말이 절로 나오고, 수연도 당연한 듯 감동하던 때도 있었는데….

세월의 무게를 느낀다. 그것도 묵직한 고래 같은.

창밖이 다소 소란스러운 것 같아 와인 잔을 보던 눈을 들어 밖을 보니, 장마 빗줄기가 꽤 강해져 있다.

세월이 흘러도 여전히 그때의 사람들로 있다면 좋았겠지만, 수연과 나는 하여튼 이렇게 되었다.

이 운명을 같이 잘 받아들여야 할 텐데. 한숨을 내쉬며, 와인 잔을 들어 거푸 두 모금을 마셔 버린다.

창밖 빗줄기가 여전히 힘차다.

## III. 장마, 사랑을 내려주나요?

열흘 동안이나 비가 내렸고, 수연과 영수는 별 문제 없이 동거를 계속했다.

신혼 때도 잠자리를 설치던 수연이었는데 무슨 일인지 아무 탈 없이 잠에 들고는 했고, 그런 수연을 점점 익숙하게 느끼면서 별 내색 없이 수연의 불 꺼진 방을 몰래 들여다보고는 하는 영수였다.

이 세상 모든 부부는 잠정적 이혼 상태다.

수연과 영수는 마치 약속된 이혼을 곁에 두고 사는 부부였지만, 아침에 밥을 나란히 앉아서 먹고, 같은 공간에 앉아서 웃으면서 텔레비전을 보고, 서로의 가장 가까운 곳에서 남처럼 지내는 사이, 수연과 영수.

이들에게 또 다른 불행이 왔다.

부모님 댁 큰 서재에서, 인터넷에서 유로로 확보한 M 첨단산업 마케팅회사의 투명망토 재료산업 경제성 전망을 골몰히 분석하고 있다.

부모님 댁이 시내 중심에 가깝고 요즈음 이곳을 별로 사용하는 사람도 없어, 한국 체재동안 이 서재를 사업 관련 일을 하는 데 많이 사용하고 있다.

향후 상당기간 동안 시장 전망이 좋아 보인다.

여러모로 투자 자체는 긍정적인데, 어떤 방법이 최선일까?

계속되는 질문이고, 조만간 결론을 내려야 할 텐데….

휴대폰 벨소리에 움칠한다.

화면을 보니 로라다. 하루에 한 번 꼴로 전화를 한다. 물론 내가 할 때도 있으나.

전화를 받으며 고개를 드니, 서재 창 밖에 주춤했던 비가 다시 내리고 있다.

"잘 지내지? 여기는 계속 비가 와요. 장마."

"인터넷 보니 그렇데요. 엘에이(로스앤젤레스) 지방은 장마가 없잖아요. 물론 저도 평생에 경험이 없고. 그 뉴스를 보니 불현듯 이 따가운 햇살에서 벗어나 뭔지 로맨틱할 장마 속에서 비를 맞고 싶어져요. 물론 영수 씨도 많이 보고 싶고요."

순간적으로 혼란스럽다.

수연과의 한 달이 얼마는 남지 않았으나 수연의 아파트에서 매일 꼭 자야 하는 상황에서, 로라가 한국에 온다?

"괜히 나를 의심해서 그러는 거는 아니지?"

"절대 아니에요. 저는 영수 씨를 많이 믿으니, 수연 씨와의 약속 지키세요. 그래야 우리도 결혼할 수 있잖아요. 진짜 장마 때문이에요. 장마 끝나기 전에 꼭 가고 싶어요."

다른 많은 것들은 제법 내 의도대로 진행이 되는데, 남녀관계들은 모두 제멋대로다.

내가 남녀관계 운영에 무슨 문제가 있는가?

나의 여자들이 모두 개성이 강해서 그런가?

“그렇게 소원이면 와야지…. 항공 예약하면 알려줘요. 모시러 갈 테니.”

“Thank you. See you soon. I love you."

(고맙고, 곧 뵈어요. 사랑해요.)

부모님이 로라가 한국에 온 것을 아시면, 이 집에 들어와 있으라고 할 텐데, 그것도 걱정이다. 로라 거동도 살피고 교육도 하실 겸. 그리 되면 신혼 방 차린 모양이 될 것이고, 나도 많이 신경 써야 하고 이 집에서 더 많은 시간을 보내야 할 것이 자명하다.

‘그 놈의 장마가 문제네. 로라가 장마 끝나고 오면, 수연과의 한 달도 끝나는데, 뭐 로맨틱 장마라니.’

한 일주일을 곡예사 같은 생활을 하게 생겼다.

하나 다행인 것은, 수연이 요새 들어 별다른 접근을 하거나 작전을 펴지 않는다. 잠시 이상한 생각이 들기는 하나, 그거 따질 상황은 아니고 오히려 고마울 따름이다.

장마가 감정의 수연을 다른 여자로 만들었나.

다시 혼란스러워 머리를 흔들며 창밖을 보니, 비가 다시 굵어지고 있다.

저녁식사를 부모님 댁에서 하고, 항상 그 시간에 수연의 아파트로 향한다.

아파트단지 마트에서 와인 한 병과 내가 좋아하는 카망베르 치즈 몇 통을 사가지고, 아파트 번호 키를 누른다.

서로 방해하지 않기 위해, 벨을 누르지 않고 번호 키로 출입하기로 정했다.

문을 연 후 밀고 들어가니, 내가 수연의 아파트에 머물기 시작한 후 처음으로 깜깜하다. 수연이 아직 안 왔다는 얘기다.

혹시 아픈 것은 아닌가.

급히 불을 켜고 수연 침실로 들어가 본다.

인기척이 없다.

혹시 무슨 사고? 여기저기를 대충 둘러보았으나, 아무 이상이 없다. 확실히 안 온 거다.

놀란 마음을 추스르고, 거실에서 사온 와인과 치즈를 먹을 준비를 한다.

평소 혼자 마실 때의 주량을 넘어서는 와인 세 잔을 마셔도 수연이 올 기척이 없다.

사고인가 걱정이 되어 휴대폰에 전화를 해보려다, 안 하던 짓 할 필요는 없을 것 같아 그만둔다.

와인은 그만 마시기로 하고, 먹던 치즈를 가지고 서재로 간다. 약간 취한 거는 같으나, 투명망토 재료 투자방법에 대해 추가로 생각을 해야 한다.

투자하게 되면 기술자문으로 모시기로 한, A대학 장 교수가 추가로 보내준 투명망토 재료 응용제품 작동원리와 최근 세계의 연구현황에 관한 논문들, 그리고 자료들도 공부해야 한다.

투명망토 재료를 전자파 차폐에 활용하는 원리에 대한 논문을 들었다. 반복해서 읽어보니 다소 이해가 간다.

세 층으로 구조를 만든다. 첫 층에 투명망토 재료가 활용되며, 이 구조에 들어온 모든 전자파를 반사 없이 모두 구조 속으로 들어가게 만들어 준다. 소위 무반사 층이다. 들어온 전자파는 절연체인 둘째 층에 흡수된다. 셋째 층은 얇은 금속 층으로, 구조에 들어온 전자파가 빠져나가지 못하게 투과를 막는 역할을 한다.

이런 방식으로 매우 높은, 심지어는 완전에 가까운 전자파 흡수를 할 수 있다. 기존의 전자파 차폐 재료보다 낮은 가격으로 더 높은 차폐 성능을 얻을 수 있다고 한다. 매력적인 상품으로 보인다. 그래서 그 회사가 호황을 누리고 있구나.

문 열리는 소리가 들린다.

수연이겠지.

휴대폰 시간을 보니, 12시가 다 되었다.

이럴 거면 내가 왜 여기 와 있어야 하냐고, 나가서 한 마디 하려다 그만둔다. 한 달도 거의 다 되어 가고 하니.

아니, 로라도 한국 오게 되면 곧 아파지니 내일 아침에는 한 번 얘기하기로 정하고, 나도 침실로 이동한다.

"어쩔 수 없는 것 아니야? 사랑하는 사이라면 미래를 계속해서 이야기하는 수밖에는 없잖아."

재혼해서 행복한 가정을 꾸리고 있는 친구는 답답한 듯 말을 이었다.

"생각해봐. 미래가 보이지 않는 사람과 어떻게 함께 할 수 있겠어? 당연한 거 아냐?"

수연은 그걸 모르는 것이 아니라는 듯 낮은 숨을 내쉬었다.

"알지. 아는데."

수연은 가라앉은 얼굴로 잠시 망설이다가 다시 입을 열었다.

"나도 까맣게 잊고 있었어. 내 이십대 초반은 너무나 바빴고, 투쟁이었고, 그 사람만으로도 나는…."

"충분했겠지."

수연을 넌지시 바라보던 쉐리가 말했다. 이 둘을 이상한 눈초리로 보고 있던 친구는 언성을 조금 높였다.

"아니. 그게 말이 돼? 누구는 뭐 스무 살 초반에 안 바빴어? 게다가 넌 일찍 결혼하고 돈 많은 남편까지 두었잖아. 정말 한 번도 아이 가질 생각을, 얘기를 안 했어?"

수연은 배시시 웃음이 나왔다.

"응. 정말 단 한 번도."

친구는 혀를 찼다.

친구는 혀를 찼다.

"이야. 대단하네, 대단해. 모두에게 너무나 당연한 일을 마치 대수롭지 않은 일인 듯 여겼던 너희 부부가 대단해. 그래도 너무 심한 것 아니니? 사랑하면 당연시해야 할 일들이 있는 거야. 의무적이라기보다 우리가 살아가면서 밥을 먹고 물을 마시는 것처럼. 꼭 필요한 요소들이 되는 거지. 결혼했다면 당연한 것 아니겠니? 아이 가질 생각조차 없었다는 게 말이 돼? 넌 어떻게 생각해, 쉐리?"

친구는 쉐리에게 질문을 던졌다. 쉐리는 가만히 미소 지으며 말한다.

"있을 수 없는 일이지."

"그렇지? 맞지? 오랜만에 너랑 말이 되네."

시원하다는 듯 이제야 밝은 얼굴을 하는 친구를 보다가 수연을 향해 시선을 두면서 쉐리가 말했다.

"하지만 너무 어렸고 너무 너의 삶을 서둘렀을 뿐이야. 미숙한 사랑도 너의 사랑이야."

수연은 중얼거렸다.

"나의 사랑…."

친구는 놀란 듯 빠르게 입을 열었다.

"잠깐, 잠깐. 그러니까 뭐야? 결혼해서 몇 년간 아이 가질 생각도 안 했던 부부를 이해한다는 거야?"

쉐리는 덤덤했다.

"이 세상 모든 부부의 사랑을 이해하지."

친구는 상심한 얼굴로 말했다.

"그런 이해는 나도 해. 하지만 우린 수연이 친구잖아. 뭔가 문제점을 찾아줘야 해."

쉐리는 작게 미소 짓는다.

"문제점이 없는 부부가 세상에 있을까?"

그러면서 다시 말했다.

"지나간 세월이야…. 우리는 겪어본 적 없는 삶이지. 그렇지 않니?"

쉐리의 낮은 시선이 수연을 향했다.

수연은 조용한 미소를 지으면서 답했다.

"난 괜찮아. 고마워."

"그래그래. 난 모르겠다. 잘났어, 둘 다."

수연은 작게 웃으면서 무심코 창밖을 바라봤다.

따스한 햇살이 수를 놓듯 내리고 있었다. 내가 밖으로 나갔을 때 작은 바람이 있다면 이 걱정도 불안도 모두 다 지나가 버리겠지.

그러면서 수연은 비스듬히 웃었다.

뜬금없는 생각 때문이 아니었다.

수연은 나지막이 중얼거렸다.

"사랑은 사랑인가 보다."

친구들과 헤어진 저녁 밤.

수연은 거리를 거닐고 있었다.

결혼해서 행복한 가정을 꾸렸다고 여겼었는데 다 우스워진 이야기일 뿐이었다.

행복했고 기뻤다. 나는 진정으로 그를 만나서 사랑받고 있었다. 하지만 나의 삶을 충분히 책임지기에는, 결혼이라는 가정이라는 울타리를 책임지기에 어렸다.

그리고 사랑을 이해하기에 미숙했다.

하지만 그는? 그도 그랬을까? 그래서였을까?

수연은 갑작스레 밀려오는 답답함에 머리를 마구 긁적였다.

"수연이?"

수연은 들려오는 낯선 남자의 목소리에 뒤를 돌아보았다.

문득 참 듣기 좋은 목소리를 가졌다고 생각했다.

"수연이 맞지? 나야, 진호. 너랑 같은 고등학교 다녔던…."

수연은 그의 말을 가로막았다.

"안경잡이 이진호?"

진호는 사람 좋은 웃음을 터트렸다.

"기억하네. 이렇게 만나다니 널…. 너무나 반갑다."

그의 말에 가만히 고개를 기울이는 수연을 바라보고는 진호가 미소 지었다.

"괜찮다면 따뜻한 커피 마실래?"

수연은 조용히 웃음을 그렸다.

"여전히 아메리카노를 좋아해? 너 학교 때 매일 그걸 학교에 달고 다녔잖아. 그때 정말이지 반에 가면 항상 커피 냄새가 났어. 난 그게 참 좋았어."

자연스레 걸음을 옮기면서 말을 하는 수연을 따라서 걷던 진호는 소탈하게 웃으면서 말했다.

"그걸 다 기억해?"

수연은 당연히 고개를 끄덕였다.

"네 곁에 가면 늘 커피 냄새가 났지."

진호는 고개를 비스듬히 기울였다.

"넌 그때 내 곁을 안 왔지. 아마…."

말을 멈춘 진호는 수연을 바라보면서 말을 이었다.

"내가 널 좋아한다는 소문을 들었겠지."

수연은 가만히 웃었다.

"그런 소문이 있었어?"

진호는 퉁명스레 말했다.

"몰랐어?"

수연은 고개를 끄덕였다.

"다른 문제로 피하기는 했지."

진호는 궁금한 듯 물었다.

"어떤?"

수연은 빙그레 웃었다.

"나랑 친한 친구가 널 많이 좋아했거든. 그래서 너랑 너무 친하게 지내면 안 될 것 같아서?"

진호는 내딛던 걸음을 멈추었다.

너무 늦은 시간이라 카페 문은 닫혀 있었기 때문이다. 뒤늦게 걸음을 멈춘 수연은 아쉬운 듯 말했다.

"어쩌지…. 이 동네 카페는 여기뿐인데."

진호는 가만히 수연을 바라보다가 긴 손을 뻗어서 수연의 옷매무새를 정리해주면서 말했다.

"밤이면 추워. 카디건이 너무 얇다."

그런 진호의 손길을 편안하게 받고 있던 수연은 나지막이 말했다.

"친절이니? 결혼 생활 안 묻는 거."

진호는 고개를 기울인다.

"…무슨 일 있구나."

수연이 어렸을 때부터 어떠한 일이 생기면 줄곧 알아차리고는 수업시간이 끝날 때까지 수연에게 무슨 일인지 묻고는 하던 진호가 생각이 났다.

하지만 소년은 조심성을 기른 어른이 되어 있었다.

수연은 비스듬히 웃었다.

"오늘은 늦었다. 다음에 또 보자."

진호는 수연과 닮은 얼굴로 웃음을 그렸다. 그리고 그는 대답을 하지 않았다.

수연은 조금 더 자라고 약간 같은 듯 변한 진호를 낯선 남자를 바라보듯 마주보며 서 있었다.

사랑은, 낯설게 찾아온다.

키친에서 나는 소리와 냄새에 눈을 뜬다.

핸드폰 시각을 보니 매일 일어나는 때쯤이다.
'참 수연이 어제 늦게 들어왔지. 그런데 아침은 평상시같이 준비하네.'
사전 연락도 없이 어제같이 들어올 거면 그만 와도 되는 거 아니냐고 물어볼까? 이제 조금 남았는데 괜히 건드렸다가, 일이 엉뚱하게 되지 않겠나?

하여간, 이부자리에서 벌떡 일어나 방 밖으로 나온다.
모습은 보이지 않으나, 키친 쪽 소리 나는 곳으로 "굿 모닝" 하고 다소 크게 말한다.
수연이 뜻밖에 밝은 얼굴로 내 쪽으로 나온다.
"좋은 아침이에요. 어제 미안했어요. 오랜만에 친구들과 만나서 떠들다 그만…."
말하는 내내 부드럽고, 계면쩍은 모습이다. 예상치 못한 수연의 반격에 주춤하다, 욕실로 들어가 버린다.
평소처럼 양식으로 간단히 준비한 아침식사에, 오늘은 걸맞지 않게 북어 국이 있다.
'웬일이지?'
내 생각을 읽은 듯 수연이 빠르게 설명한다.
"어제 와인도 많이 드신 거 같고, 국 중에서 북어 국 좋아하시잖아요."
"감사. 덕분에 북어 국 오랜만에 먹어 보네."
모처럼 화기애애한 분위기다.

순간 고민했던 것을 얘기해야겠다는 생각이 들었다.
너무 화기애애해지는 것에 대한 무의식적인 제동인가.

"이런 식으로 밤에도 못 보고 그런다면, 꼭 한 달 채울 필요가 있나?"
감정의 수연을 자극하지 않도록 가능한 부드럽고 차분하게 묻는다.
"어제 처음으로 한 번 밤늦게 들어온 거 가지고 이러시는 거예요?"
그나마, 한음은 아니고 반음쯤 올라간 수연의 목소리가 되돌아온다.
"정 빨리 떠나고 싶으시면 좋아요. 단, 조건이 하나 있어요. 우리 한 번은 같이 자고 끝내야 하지 않아요? 그래야 한 달이나 같이 지낸 것이 의미가 있는 것 아니에요."
뜻밖의 제안에 아침이나 정신이 버쩍 난다.
"그러다 헤어지는 마당에 실수라도 하면 어쩌려고."
"그건 하늘이 주신 운명이죠. 물론 그런 일은 안 생기겠으나, 그렇다면 잘 키울 거예요. 항상 당신 생각하며."
"무슨 소리를…. 그렇다면, 그냥 원래대로 있도록 하지 뭐. 잘 먹었어. 북어 국 솜씨는 여전하네."
남은 북어 국을 아예 들이켜고, 식탁에서 황급히 일어난다.
거실 큰 창문이 아침부터 비에 흥건히 젖고 있다.

사랑이 나에게로 왔을 때, 나는 설레고 기뻤고 당황스러웠다. 하지만 지금은 그 사랑이 무섭고 무겁다.

"정말이야. 내 기분이 어땠냐면…. 진짜 섹스하자고 조르는 기분이었다니까?"

휴대폰 너머로 친구의 간드러지는 웃음소리가 흘러나왔다.

"그래서 네 남편은 황급히 도망갔잖아."

수연은 기분이 영 아닌지 고개를 절래 젓는다.

"응. 뭐랄까, 내가 쫓아가야 하나 싶었다니까."

친구의 듣기 좋은 웃음소리가 끊임없이 들려왔다.

"그래서 어떻게 할 거야? 정말 한 달을 채울 생각이야?"

수연은 고민했다.

"응. 우선은."

"우선은?"

친구의 되물음에, 수연은 고개를 기울였다.

"왜? 이왕 이렇게 된 거 갈 때까지 가봐야지."

친구는 혀를 쯧쯧 찬다.

"아무리 그래도 한 집에서, 부부가…. 너네 부부 정말 아이라도 생기면 어쩌려고. 다른 여자를 사랑하는 남자가 네 아이를 사랑할 것 같아?"

수연은 무심코 고개를 저었다.

"무슨 말이야? 당연히 아니지. 나 혼자 키울 거야."

친구는 잠시 침묵하다가 입을 연다.

"…너 지금 제정신이니?"

수연은 피식 웃었다.
"농담이야, 농담. 내가 무슨 용기가 있어서 그 사람 아이를 낳고 키우니?"
친구는 한시름 놓았다는 듯 낮은 숨을 내뱉었다.
"…그러지 말고 진호 이야기나 더 해봐."
수연의 심드렁했던 얼굴이 잠시 밝아졌다.
"아…. 진호!"
친구는 목소리를 줄인다.
"너 걔랑 정말 친구니?"
수연은 괜스레 손사래를 쳤다.
"얘가 무슨 소리를… 친구야, 친구."
휴대폰 너머에서 친구의 작은 웃음소리가 들려왔다.
"그래. 친구였지, 친구."
수연은 비스듬히 미소 지었다.
"키는 더 컸더라. 근데 결혼했을까? 물어볼 걸…."
친구는 마치 고개를 끄덕이고 있는 것처럼 느긋한 목소리가 울려왔다.
"아직도 미혼이란다. 난 진호 소식 다리 건너 듣거든."
수연의 시선이 낮아졌다.
"그래? 그렇구나…."
친구는 호기심에 들뜬 소녀처럼 상기된 목소리로 말했다.
"왜? 결혼 안 했으면…? 진호 좋지?"
수연은 다시 손사래를 쳤다.

"아니라니까. 얘가 정말…."

친구의 목소리가 다시 작아졌다.

"너 솔직하게 생각해라. 네 남편도 다른 여자 만나는 마당에 진호처럼 근사한 애가 나타났으면… 내가 너라면 말이야, 어? 완전 흔들리고도 남아."

수연은 괜스레 볼을 긁적였다.

"얘가 정말…. 아니라니까, 몇 번을 말해."

친구는 답답한 듯 한숨을 내쉰다.

"나 같으면 수연아. 마음이 없어도 진호야."

수연은 낮췄던 고개를 들어올렸다.

"얘, 진호가 날 사랑한다고 하디? 그건 그냥 고등학교 때 헛소문일 뿐이야."

친구는 코웃음을 쳤다.

"네가 나를 배려해서 소문으로 마무리된 사실이 아니고? 너 내가 진호 좋아하는 걸 알고 나서 한동안 진호랑 눈도 안 마주쳤잖아."

허를 찌르는 친구의 말에, 수연의 얼굴에 작은 웃음이 걸렸다. 그랬다.

"얘는… 핵심을 아네."

친구의 소탈한 웃음이 들려왔다.

"아무튼 잘 생각해 봐. 진호와 너의 운명적인 만남에 대해서 말이야. 알았지?"

수연은 할 수 없다는 듯 고개를 끄덕이면서 답했다.

"너는 참. 그래 알았다."

통화를 끝낸 수연은 깊은 생각에 잠겼다.

진호와의 만남에 대해서 정말 생각이 들게 되었다.

그건 친구의 말 때문일까, 아니면.

수연은 가라앉은 시선으로 창밖의 먼 풍경으로 눈을 돌렸다.

왜 하필, 이 시기 그 순간…. 진호를 만나게 된 것일까.

수연에게 쫓기듯이 집을 나섰으나, 적어도 두 가지 이유가 있었다.

사실은 순간적으로 수연이 너무 측은하고 심지어는 오랜만에 사랑을 느꼈다.

팔색조 같은 사랑의 한 색깔이 연민이기 때문인가.

참으로 대단한 반전의 불꽃이 오랜만에, 그리고 순간적으로 내 마음 속에서 튀었다.

그리고 마지막으로 같이 자고 아이도 가지고 싶다는 말에, 나도 모르게 고개를 끄덕일 뻔도 했다.

'수연이 진짜 나를 아직도 많이 사랑하고 있구나. 아, 이를 어쩌지?'

수연의 말도 안 되는 한 달 동거 제안을 못 이기는 채 따른 것도, 어쩌면 나도 수연을 어느 정도 사랑하고 있기에 이루어진 거는 아닌가 하는 자체 혼란에도 빠진다.

혼란스럽기도 하고 겁도 벌컥 나서 그 자리에 앉아 있을 수가 없었다.

비겁한 일이었으나, 아마도 그것이 그 순간 내 사랑의 표현이었는지도 모른다. 수연은 눈치 채지 못했겠지만….

그리고 아직 시간 여유가 있었으나, 장 교수한테서 투명망토 재료 관련 해외업체들에 대한 자문을 받는 이른 점심식사 회의가 N 멤버쉽 클럽 내의 식당에서 예정되어 있어 준비도 필요했기 때문이기도 했다.

준비가 생각보다 잘 되지 않아, 일단 나가서 그 클럽에서 커피나 한 잔 하며 이런저런 생각과 준비를 하기로 했다.

가끔 오면 내가 앉기 좋아하는 테이블이 마침 비어 있다.

아는 여자 종업원이 반갑게 인사를 하며 다가와, 아메리카노 커피를 주문하고 미리 준비한 장 교수와의 회의 자료를 훑어보기 시작한다.

이제 관련 해외업체들 현황만 파악하면, 투자 여부와 투자방법을 최종 결정하려 한다.

회의 사전준비 도중에도 간헐적으로 수연과의 오늘 아침 사건이 떠올라, 그때마다 애꿎은 커피만 마신다. 얼마 안 돼 잔이 비어 리필을 부탁한다.

얼핏 고개를 드니, 입구 쪽에 마침 장 교수가 들어선다.

"여깁니다."

일어나서 손짓을 하며 부른다.
"조금 일찍 오게 돼서, 미리 커피 한 잔 하고 있습니다. 모르는 게 많아 오늘 말씀들을 제 나름대로 미리 공부를 하고 있는데, 역시 어렵네요."
"이렇게 열심히 공부하시는 투자자는 처음 봅니다. 자문에도 신이 납니다."

투명망토 재료 관련 해외업체에 관한 장 교수의 자문 내용은 대략 이렇다.

우선 미국 캘리포니아 주 실리콘 밸리에 몇 개의 응용분야에 따른 회사들이 여럿 있다.
한국에서 돌아본 회사와 비슷한 업종인 전자파 완전 흡수체 회사들이 몇 있고, 원래의 투명망토 자체를 연구/생산하는 회사들도 역시 있다.
첨단 센서에 응용하는 회사도 있고, 투명망토 재료로 슈퍼렌즈(초점이 완전 점으로 맺히고, 올록볼록한 모양이 필요 없이 평면 상태로 렌즈 기능을 하는 첨단적 렌즈)를 주문 방식으로 생산하는 회사도 있다.
생각보다 회사도 많고, 응용분야도 여럿이다.
"합리적인 응용분야 선택이 필요하고, 외국 회사들까지 고려한 마케팅 데이터 수정도 필요하네요."
장 교수가 가볍게 고개를 끄덕인다.

정말인가.
나에게 찾아온 것은 사랑이라는 말인가.
수연은 혼란스러운 얼굴로 자꾸만 얼굴을 문질렀다.
그리고 전화가 왔다.
수연은 테이블에 올려둔 휴대폰을 들고 가볍게 받았다.
"여보세요."
수연은 자신도 모르게 낮은 한숨을 내쉬었다.
"수연이 맞구나. 나야, 진호."
수연은 화들짝 놀란 얼굴로 침을 삼켰다.
"어…. 그래."
"지금 전화 받기 힘들어?"
진호의 물음에 수연은 손사래를 쳤다.
"아니, 아니…. 그런 게 아니라…."
진호는 반가움의 목소리를 냈다.
"전화 받기 좋은 상황이라는 거네? 그치, 수연아?"
수연은 어떤 말을 하면 좋을지를 찾았다.
하지만 진호는 틈을 주지 않았다.
"내 감이 맞으면 너도 내가 싫은 게 아니야."
수연은 당황스러운 기침을 연거푸 내뱉었다.
"너 지금 그게 무슨 소리야? 내가 널 좋아하기라도 한다는 거야?"
진호는 뜸을 들였다.
수연은 속이 터져 버릴 것 같았다.

"너는 무슨 그런 말도 안 되는 소리를…."

"농담이야, 농담. 뭘 그렇게 열을 내?"

진호의 물음에 수연은 급 당황을 안고서 말했다.

"네가 너무 진지한 농담을 하니까 내가 민망해서 그렇지."

진호는 호탕하게 웃음을 터트린다.

"가벼울 수 없는 농담이지. 나에게는."

수연은 의아함에 고개를 기울었다.

"그건 또 무슨 말이야?"

진호는 사람 좋은 웃음을 지었다.

"말 그대로야. 소문은 바람을 타고 달에게로 날아갔지. 너 그거 알아? 오늘 밤에 뜰 달이 만월이라는 걸."

수연은 알 수 없는 진호의 말에 고개를 갸우뚱 기울였다.

진호가 말을 이었다.

"넌 좋아했지. 이렇게 푸르른 저녁에는 기타소리에 내 목소리가 합해지는 것을 좋아했잖아. 나도 이때만큼은 너에게 들려주려고 하는 곡이 많았지. 너는 내 기타소리에 맞춰서 흥얼거리면서 노랠 불렀어. 가사도 없는 정체불명의 노래였지만 좋았어. ……."

진호의 뜸을 들이는 침묵이 뒤를 이었다.

수연은 멈칫 숨을 죽였다.

"…오랫동안 이 순간을 기다려 왔는데 밤이 나를 도와주네. 수연아…."

수연은 꿀꺽 침을 삼켰다.

진호는 말을 이었다.
"난 많이 그리워했어, 너를."

로라가 오후에 인천공항의 새로운 제2터미널로 도착한다. 드디어, 드라마에 자주 나오는 두 여인의 사이에 끼어 번민하는 주인공이 된다. 참으로….

오늘은 서울 오면 가끔 활용하는 차를 몰고 나왔다. 비가 오락가락하며 계속 와서 그런지, 예상 시각보다 다소 늦게 터미널 주차장에 왔다. 기존의 제1터미널과 달리 주차장에서 곧장 도착·출발 층으로 올라갈 수 있는 구조로 되어 있다.

우선 항공편 출발·도착 시간표를 확인하니, 다행으로 비행기 도착이 다소 지연된다. 시간 여유가 생긴다.

저쪽에 커피숍이 보여, 카페라테 한 잔 하고 오기로 한다.

다시 입국 게이트로 와서 얼마 있으니, 저기 로라가 나온다.
"로라, 여기."
금방 알아본다.
밝은 톤의 옷으로 발랄한 느낌을 주어 더 캘리포니아 여자 같은 그녀와 가볍게 포옹을 한다.
"Honey, very happy to see you in Seoul."
(당신을 서울에서 보니 너무 기뻐요.)
역시 명랑한 꾀꼬리 목소리다. 엘에이를 옮겨다 놓았다.
이쪽저쪽 옆 사람들이 잠시 돌아본다.

"지하 주차장에 차가 있으니, 내려가지. 전의 제1터미널보다 편해졌어."

부모님 소원대로는 되지 않았다.

로라는 때 이른 그리고 생소한 시집살이를 두려워했고, 나도 성가신 점이 한둘이 아닐 거 같고, 수연에 대한 야릇함의 부활도 고려하여 결사반대를 한 결과, 부모님 댁에서 멀지 않은 레지던스를 예약하였다.

물론 부모님 댁을 자주 방문하는 조건이다. 하여간, 들러야 할 곳이 하나 더 늘어난 사태가 벌어진 것이다.

비가 와서 그런지 러시아워가 아닌데도, 한 시간 반이나 걸려 예약한 레지던스가 저쪽 방향에 보인다.

"피곤하지? 서울이 이래요. 장마철이라서 더 심한데, 그래. 그리 느끼고 싶다던 장맛비 속을 한참 달려온 기분이 어때? 로맨틱과는 거리가 멀지?"

익숙한 것들에 대해서는 여간해서 의미를 두지 않기에 당연한 듯 말한다.

"아니에요. 계속 주룩주룩 내리는 비, 침침한 하늘, 간간히 나무를 흔드는 바람, 모두가 저에게는 로맨틱한 영화 보는 거 같이 나쁘지 않은데요. 잘 온 거 같아요."

같은 대상을 보는데도 이런저런 느낌이 무척 다르다.

참으로 감정의 스펙트럼은 싫다와 좋다 사이에 존재하는 무수 한 간격이라는 생각이 든다.
"그래, 그러면 다행이고."

"한 시간가량 정리하여 쉬고, 오늘 저녁식사는 부모님 댁에 가서 해야 해. 부모님이 첫날 저녁은 꼭 같이 해야 한다고 오래 전부터 난리시니."
로라는 각오한 듯 마음을 다잡는 표정이다.
"너무 어려워할 건 없어. 내가 역할을 할 테니. 그리고 저녁 후에 나는 수연한테 가야 하는 것, 기억하지? 이제, 며칠 남지는 않았으나."
"물론 기억은 하는데, 막상 옆에서 그런 것을 봐야 하니 기분이 묘하네요. 이따 다시 얘기해요."

로라에게 필요한 음료와 일용품을 사러 인근 편의점으로 나왔다. 오랜만에 보는데도, 로라는 역시 쾌활하고 충분히 예쁘고 늘씬하다. 상대방 기분을 좋게 하는 여자다.
장마 속인데도 로라 옆에만 가면 볕이 든다. 물론 어느 때는 다소 과잉인 경우도 종종 있으나.
그런데도, 왠지 미국에서 사랑할 때 느꼈던 감정과 약간 다른 느낌이다.
오랜만에 봐서 그런가, 이 지루한 장마 때문인가, 다시 내 마음에 홀연히 등장한 수연 때문인가?
지나갈 듯 기름을 뿌리는 요리처럼, 어느 여인이 내 옆에서 계속 미소를 지어주는 것도 좋으나 지나가며 황홀한 미소를 지어줄 때도 또 다른, 아니 더 완벽한 사랑을 느낄 수도 있는 것인가.

저녁식사는 역시 대단했다.

부모님은 신혼여행 다녀온 부부 대하는 분위기로 요란하게 부담스럽게 저녁 내내 행동하셨다.

어쨌든 저녁은 끝나고, 로라를 레지던스로 데려다 준다.

"진짜 비가 계속 오네요. 신기해요. 이상한 나라의 로라가 된 기분이에요."

신기루를 보는 듯이 계속 내리는 장맛비를 길고 가는 손가락으로 가리킨다.

로라가 장마를 그리 신기해 하니 오기는 잘한 것 같으나, 이제부터 수연과 로라 간 나의 곡예생활의 시작이다. 걱정된다.

"오늘 한국 온 첫날인데도, 가셔야 되죠?"

로라가 드디어 답을 다 아는 질문을 던지니 오죽한 마음일까 미안하나, 말이 생각과는 반대 방향으로 나온다.

이미 다 얘기했는데 왜 그러느냐는 식의 답이 무의식적으로 나왔다. 사실 달래도 시원찮은 경우인데.

로라가 움칠하며, 약간 놀란 표정을 짓는다.

'아, 이러면 안 되지.'

"미안. 장마 때문에 신경질적이 되어서 그런가."

계획에 없이 로라를 제법 강하게 안으며, 변명을 늘어놓는다. 장마보다는 수연에 대한 야릇한 감정의 회복을 들킬까 미리 선수를 친 것이 아닌지. 무의식적으로.

수연의 아파트 동 밑에 도착한다.

위를 올려다보니, 예와 같이 수연 아파트에 불이 켜져 있다. 기분 좋게 아파트 도어에 도착하여, 보통 하듯이 번호 키를 누르지 않고, 호기롭게 벨을 누른다.

왜 그랬는지 스스로도 놀란다. 아마도, 로라를 두고 너를 만나러 왔다는 유치한 자랑의 표시인가.

"누구세요."

"나, 영수."

왜 보통 때처럼 번호 키를 사용하지 않지 하고 두런거리나, 문을 금방 열어준다.

수연이 오래 전에 보던 미소를 띠고, 내 앞에 서 있다.

마치, 이것저것 추억을 쫓아보니 언제나 혼자는 아니었다고 하듯이. 이런 장마철 밤만이라도 조금만 더 당신의 여자로 있게 해 주세요 하는 것 같이.

아파트 내 공기가 달다고 느껴지며 내 호흡이 편안해진다.

수연을 가슴속으로부터 가슴 밖까지 부드럽게 안을 준비가 되어 가는가.

## IV. 운명이 필요해

어느 때의 시간은 불안하고, 또 어느 때의 시간은 봄날의 아쉬운 햇살이 내리고 다시 겨울이 오는 동거 생활이었다.

내내 지속적인 감정들이 일어난 것도 아니고 큰 변화가 있던 것도 아니다. 다만, 우리의 삶에 어떠한 일이 일어나고 있었을 뿐이다.

인간은 안정감 속에서 끊임없이 새로운 것을 갈구한다.

그렇다. 우리는 인간일 뿐이다.

결혼이라는 울타리에서조차 새로운 것을 갈구할 뿐이다. 그것이 배우자에게서든 타인에게서든 나 자신에게서든.

마지막 이야기, 새로운 무엇이다.

"사랑이라는 것은 다양하게 다가와. 어느 시각에서 보면 행복이고 어느 시선에서 보면 불행이지만 내가 되어 바라보면 사랑이야. 우리의 삶처럼 말이야."

수연은 붙잡고 있는 휴대폰을 느슨하게 풀어 잡으며 답했다.

"그래서? 이혼 생각하고 있는 나에겐 지금 사랑이라는 것은 불편한 얘기야."

친구는 작게 웃음 짓는다.
“이혼의 과정이 사랑을 끝내는 과정 같니?”
수연은 고개를 비스듬히 기울였다.
“이혼 한 번 해봤다고 유세하는 거야? 넌 다시 사랑을 만나서 재혼했잖아.”
친구는 수긍했다.
“맞아. 유세야. 다른 여자를 사랑하고 있는 남자를 사랑하는 친구에게 떠는 유세 말이야.”
수연은 가라앉은 얼굴로 말했다.
“알아…. 안다는 거야, 나도.”
친구는 쉽게 인정하는 수연이 가여웠는지 작게 웃음소리를 냈다.
“그래서…, 아직도 사랑해?”
수연은 창밖으로 시선을 돌렸다.
다시 비가 오려나.
“내 말 듣고 있니?”
수연은 흐릿한 하늘을 바라보면서 답했다.
“…아니. 나도 잘 모르겠어.”
친구는 마치 고개를 끄덕이는 듯 한숨을 내쉬었다.
“아팠지? 그렇게 씩씩한 척해도 아픈 건 아픈 거니까.”
수연은 고개를 끄덕였다.
“조금…. 아니, 꽤 많이….”
“수연아.”

친구의 부름에, 수연은 창밖에 두었던 시선을 거두고는 정면을 바라봤다.

"응?"

"진호는 어때?"

수연은 조용한 얼굴이 되었다.

"착한 아이지."

친구는 급급한 듯 빠르게 말을 이었다.

"너 말이야. 똑바로 생각해야 해. 너의 제2의 인생이 기다리고 있는 판국에. 너 진호랑 고등학교 때 친했잖아, 알 거 아니야? 진호만큼 바른 애 있겠지. 얼굴 반반한 데다 매너 있는 남자 있겠지. 근데 네 제2의 인생에도 있을까? 진호는 널 오랫동안 좋아했잖아. 게다가 미혼이구. 너 잘 생각해야 해. 걔랑 지난날 만난 게 우연일까? 제2의 인생에 운명이 아니라?"

수연은 낮은 한숨을 내쉬었다.

"얘가 또 왜 진호 얘기를…."

친구는 목소리를 죽였다.

"얘. 너도 알잖아? 진호가 널 좋아하는 거."

수연은 비스듬히 고개를 숙였다.

'그런가. 날 정말 좋아하나.'

"잘 생각해 봐. 네 남편은 바람이지만 넌 정당방위니까. 빨래를 걷어야 해서 이만 끊을게. 또 전화하자. 힘내."

서둘러서 끊어진 전화로 무심하게 휴대폰을 내려놓은 수연은 다시금 창밖을 바라봤다.

어느 사이 빗줄기가 세차게 내리고 있었다.
비 오는 날. 그녀에게 새로운 무엇이 다가오고 있었다.
진호가 날 좋아하는 걸까.
'설마, 아직까지?'
수연은 내내 고민을 하다가 찬물이 마시고 싶은 마음에 부엌으로 향했다. 그런데.
'띵동.' 들려오는 초인종 소리에 수연은 고개를 돌렸다.
이 시간에 영수가 초인종을 누를 리는 없었다.
수연은 걸음을 내딛고 툭 말을 던져냈다.
"누구세요?"
"수연이니? …나야, 진호."
수연은 놀란 마음에 빠르게 걸음을 옮겼다.
현관문을 열자, 우산을 접고 있던 진호가 있었다.
"내가 너무 갑자기 왔지? 미안. 근처에 볼 일이 있어서 들렀다가 너 아픈데 혼자 집에 있다는 얘기를 강희한테 들어서."
수연은 당황한 얼굴이었다.
"내…내가 아프다니? 강희가?"
좀 전까지 통화를 했던 친구의 계략인 것을 알아챈 수연은 머리통을 붙잡았다.
그리고는 고개를 들어서 사람 좋은 얼굴을 하고 있는 진호를 쉽게 집안으로 들였다.
"아무튼 고마워…들어와."
현관문을 닫으며 집안으로 들어오던 진호는 웃으며 말한다.

"아픈 게 아니야?"
수연은 천천히 뒤를 돌았다.
창피한 얼굴을 숨기지 못한 채.
"…보다시피? 이상한 소문은 아직까지 도나 봐."
진호는 웃는 얼굴로 수연에게 가까이 다가왔다.
"소문 같니?"
수연은 당황하지 않았다.
그런 자신이 이상했다.
"그게……."
진호는 약간 빗물이 묻은 머리칼을 탈탈 털어내면서 말했다.
"너의 가정을 다들 어떻게 말하는지 그래서 널 어떻게 떠들어대는지 굳이 말리고 싶지 않았어. 깨져가는 너의 결혼생활을 그대로 두고 싶었어. 나 참 별로지?"
수연은 흔들리는 눈을 했다.
"진호야…."
진호는 고개를 끄덕였다.
"이혼을 고민한다고 들었어. 하나만 묻자,…그게 고민이니?"
수연은 말을 잇지 못했다.
진호는 약간 화가 난 목소리로 말을 이었다.
"네가 행복하길 바라고, 네가 나와는 상관없는 세계에서 잘 지내길 바란다면 그건 개소리야. 그런데…불행하길 원하지는 않아."

수연은 가라앉은 얼굴로 물었다. 그의 마음을 물었다.

"그래서? 이혼하고 내가 너의 곁으로 가? 그러면 우리가 행복할까?"

진호는 어두운 얼굴로 말했다.

"난 그렇게 말한 적 없어."

수연은 답답함에 한 발자국 다가갔다.

"그럼 네가 하고 싶은 말이 뭐야? 네가 하고 싶은 말이 뭐길래? 내가 불행해 보이겠지. 그래 맞아 불행해. 내가 미련해 보이겠지. 맞아, 나 지금 내 인생에서 가장 미련…."

"내가 할 수 있는 게 없잖아."

수연의 말을 끊은 진호는, 눈가에 눈물이 맺힌 수연의 두 눈을 바라보면서 말을 이었다.

"내가 뭐라고 너의 인생을 이렇다 저렇다 해. 네가 사랑하는 남자잖아. 너는 그 남자를 정말 사랑해서 다른 여자를 사랑한다는 그 남자와 헤어지기 싫은 거잖아. 그럼 어떻게 내가…."

진호는 떨리는 목소리로 말을 멈추다가 이내 입을 열었다.

"나는 네가 슬픈 게 싫어."

수연은 밀려오는 복잡함에 눈물 맺힌 두 눈으로 진호의 얼굴을 바라보고는 고개를 저으면서 말했다.

"나는 진호야, 잘…."

갑작스레 안긴 진호의 품에서 수연은 맺힌 눈물을 떨어뜨렸다. 진호는 뜨거운 숨결을 내뱉고 다시 내쉬는 것을 반복하면서 말했다.

"…울지 마."

수연은 그 말에 모든 것이 튀어나오려는 것을 직감하고는 두 눈을 감았다. 그리고는 소리 내어 울기 시작했다.

진호의 품이 너무나 따뜻해서, 모든 것을 다 안아줄 것 같아서. 다시, 사랑에 물들어 버려서 말이었다.

로라가 불만이 이만저만이 아니다.

서울에 아는 사람도 별로 없고 비는 계속 오는데, 부모님 댁에 갈 때를 제외하고는 수연의 아파트로 가야 한다, 사업 준비 때문에 뭘 해야 한다는 핑계를 대는 나를 별로 볼 수 없다고 난리다.

그리고 수연 아파트에 이혼조건을 충족시키기 위해 간다는 말도 점점 믿지 못하겠다는 투다.

"아니, 장마 보러 와서 원대로 실컷 보고 있는데 뭐가 불만이지?"

말하고는 아차 싶었다.

괜히 자극하는 말이 되었네.

"그런 식으로 말하셔도 되는 거예요? 수연 씨하고의 약속은 그리 철저히 지키시면서."

사실 할 말은 없다.

요새 수연 아파트 가는 것이, 초기와는 달리 기다려지는 상태다. 당연히 수연과의 관계가 많이 회복되어 같이 자지만 않을 뿐 거의 부부나 다름없게 되어 가고 있다.

수연의 태도는 가끔 멍한 것을 제외하고는, 눈에 띄게 옛날 신혼 초 비슷하게 되었다.

왜 가끔 멍하냐고, 어디 아프냐고 몇 번 물었으나, 별일 없다고만 한다.

다시 오고 있는 옛 사랑에 가슴이 점점 저려오고 그녀의 옛 이메일을 읽고 또 읽으며 그 옛 사랑을 결코 놓치지 않겠노라고 다짐한다.

혹시 안 오면 내가 찾아가겠다고 마음을 다진다.

멕시코 화가인 디에고 리베라처럼 뚝심 있게 수연의 마음을 확실히 빼앗을 것이다.

그에 반해 로라에 대한 감정은 점점 엷어져 가고 있다. 이제 로라도 얼핏 눈치를 채고 있는 거 같다. 여자의 예민함으로.

수연과의 관계가 더 확실해지자마자 로라에게 얘기를 해주어야 한다. 잘해 낼 수 있을지는 모르나, 그러면 아마도 화끈한 로라는 즉시 한국을 떠날 것이다.

오늘 아침 텔레비전 일기예보에 따르면, 어차피 올해 유난히 끈질긴 장마도 끝나간다고 한다.

로라가 미국으로 떠나고 수연과 다시 결합하게 되면, 같이 미국으로 떠나고 싶다. 일단 저 남쪽의 둘 다 좋아하는 샌디에이고로.

한국에서 다시 같이 살기는 어려울 것이다. 우선, 부모님의 극심한 반대가 예상된다.

그리고 수연이 그리 원하는 아이도 가질 것이다.

그림 같은 라호야 바다가 벌써 넘실댄다.

로라에게 미안한 마음에 시내 유명 Z백화점에 쇼핑과 저녁 식사나 하러 가자고 제안한다.

“좋지요.”

화내던 때는 어디로 갔는지, 즐거운 꾀꼬리 목소리다. 역시 로라답다. 이별을 해도 그저 좌절만 하고 있을 성격이 아니라, 괜히 안심이 된다.

저녁 후 레지던스로 돌아오는 길에 다소 소강상태이던 장맛비가 다시 시작된다.

아, 언제나 하늘에 은하수를 볼 수가 있을까?

그리스 여신 헤라의 젖가슴에서 힘차게 뿜어져 나온 젖이 밤하늘에 흘러서 영롱한 빛을 내는 띠를….

참, 투명망토 재료 관련 사업도 이제 이런 결정들과 연동하여 마무리해야겠다는 생각까지 스쳐 지나간다.

수연의 아파트로 돌아온다.

어느새 ‘간다’가 아니라 ‘돌아온다’가 되었다.

한 달이라는 기간이 짧은 기간인 줄 알았더니 백야처럼 길어져, 이런저런 일이 기적처럼 생겨난다.

수연의 간절한 바람 때문인가, 피치 못할 운명의 수레바퀴가 돌아서인가.

번호 키를 열고 들어가니 키친에서 음식 냄새가 난다.
"저녁 먹고 왔어."
내 방으로 들어가며, 음식 냄새 쪽으로 고개를 돌려 크게 말한다.
"오늘밤도 와인 드실 거 같아, 파스타 안주 만드는 거예요."
역시, 센스 있는 수연이다. 와인 마실 거 어찌 알았는가.
"좋지, 감사."

옷을 급히 갈아입고, 대충 세면을 하고 키친으로 급히 간다. 얼마 전에 사다놓은 레드와인을 능숙한 솜씨로 따고, 수연을 부른다.
"오늘은 같이 한 잔 해."
수연이 오늘 웬일이냐는 듯, 보통보다 빠르게 키친 테이블에 앉는다.
"무슨 일 있어요?"
"우선, 건배."
와인 한 모금씩을 하니, 장마 속 키친 불빛이 더 안락해 보인다.
"수연의 승리를 축하합니다."
"무슨 말인지 모르겠네요."
"수연이의 한 달 계획이 소원대로 성공을 거두고 있는 거 같다고."
수연의 얼굴이 알 듯 모를 듯 변하고, 미소도 배어나오기 시작한다.

"얼마 전, 수연이가 이런 마당에 순수하게 우리 아이를 갖고 싶다고 얘기했을 때, 갑자기 가슴 저쪽으로부터 뭔가 벅차오르더라고."

처음에는 무슨 계획 같다는 생각도 들었으나, 그때의 순수하고 진지한 표정과 말투를 생각해보니, 잠시라도 그런 생각을 한 내가 싫어졌고 깊은 감동이 밀려왔었다.

중국의 피카소라는 치바이스는 그림이란 너무 비슷하면 세속에 영합하는 것이고, 너무 비슷하지 않으면 세상을 속이는 것이라고 했다.

그러나 이 얘기는 이제 그녀에게는 맞지 않는 얘기가 되었다. 수연 자체가 너무 아름다워, 비슷하게 그린다는 것이 영합이 아니고 그래야 진실이 되었다.

"정말이요?"

"로라에게도 조만간 얘기하겠어. 우리의 복원을 정식으로 프로포즈합니다. 다시 건배!"

수연은 건배한 잔을 들어 두 모금을 마시더니, 조용히 눈을 감는다. 만감이 교차하는 얼굴이다. "우리 서로 정리되면 미국으로 가는 것도 검토해요. 여기는 부모님과의 문제도 많고, 나쁜 추억들도 많으니."

연이은 전격적인 말들에 수연은 정신이 없는 듯하면서도, 최근 들어 처음 보는 듯 평온한 모습으로 와인을 한 모금 더 마신다.

사람의 삶은 더 높고 멀리 있는 것, 지금은 보이지 않은 것을 바라봐야 그래야 삶이 개선되거나 행복해질 가능성이 높다.

마찬가지로 사랑하는 사람들의 삶도 더 높고 멀리 있는 사랑, 지금은 보이지 않거나 만질 수 없는 사랑을 바라봐야 할지도 모른다.

인간은 결코 고상한 인생을 살지 못한다.

그래서 이렇게 꿈같은 일들이 벌어지기를 갈망하고 그렇게 기구하는 것이다. 그리고 실제로 이런 일들이 가끔 벌어져야 고상하지 못한 인생을 살 수가 있지 않는가.

수연은 생각이 많은 얼굴을 했다.

벌써, 하루아침에? 이런 식으로 재회를 한다는 건가?

수연은 믿기지 않는 얼굴을 두 손으로 매만져봤다.

'말도 안 돼.'

문득 머릿속으로 지나가는 한 문장 때문인지 수연은 곁에 둔 휴대폰을 들어서 친구에게로 전화를 걸었다.

"강희야, 나야."

친구는 잠결에 전화를 받았는지 목소리가 걸걸했다.

"이혼했어?"

두서없이 질문을 던지는 친구의 말에 수연은 울컥 눈시울이

붉어졌다.
"날 다시 사랑한대. 그 여자에게도 안 가고."
휴대폰 너머로 잠시 정적이 흘렀다.
"……너는, 수연아?"
수연은 고개를 가로저었다.
"모르겠어. …정말 모르겠어."
친구의 낮은 한숨이 들려왔다.
"늘 사랑은 모르는 거야, 있을 때 말이지. 진호를 사랑하게 되었구나."
수연은 눈물을 흘렸다.
"나 이제 어떻게 해?"
친구는 덤덤했다.
"뭘 어떻게 해. 네 마음이 이끄는 대로 해."
수연은 또 다시 고개를 가로저었다.
"아직 영수를 사랑하는데 또 다시 날 떠날까 봐 무서워. 날 많이 좋아해주는 부드러운 진호가 자꾸 마음에 들어와. 날 설레게 해. 이럴 때… 너라면 어떻게 해?"
친구는 많은 생각을 하는 듯 아무 말이 없었다.
수연은 문득 고개를 돌려서 창밖으로 시선을 멈추었다.
비가 내리고 있었다.
"나라면 수연아… 나라면……."
수연은 주룩주룩 내리는 빗방울들을 바라보면서 친구의 목소리에 귀 기울였다.

"조금 더 내가 행복해하고 싶은 사람과 있을 거야."
수연은 창밖으로 두었던 시선을 거두고는 고개를 낮추었다.
"어려워……."
친구는 작은 한숨을 내쉬었다.
"다시 시작해서 행복할 수 있을지, 새로운 사랑에 행복할 수 있을지 고민돼?"
수연은 고개를 끄덕였다.
"아주 많이."
친구의 숨결이 흘러나왔다.
"널 이해해. 근데…."
잠시 말을 멈추었던 친구는 낮은 숨을 내쉬고는 다시 말을 이었다.
"이미 너의 마음은 알고 있을 거야."
수연은 흐르는 눈물을 닦아내지 않고 말했다.
"…그래. 고마워."

사랑은 쉬지 않고 묻는다.
'더 행복해하고 싶니?' 이렇게 말이다.
그래서 나는 답했다.

운명이라면.

**다음날 밤에는 다소 일찍 수연 아파트로 왔다. 방송예보처럼**

이제 장마가 거의 끝나 가는지 비는 소강상태다.

얘기를 확실히 하기 위해서다. 그래야 로라와도, 부모님 하고도, 사업 방향 최종 결정도 마무리를 할 수 있다.

어제 수연에게서 평온한 모습을 보았으나, 뭔지 확실한 느낌을 주지도 않은 것 같다.

당시에는 나 자신에 대해 내가 너무 들떠서 잘 몰랐었는데, 오늘 오전에 N 멤버쉽 클럽에서 정기적인 피트니스를 하면서 갑자기 그 장면이 떠올랐다.

수연의 예상 밖 차분했던 모습이.

이상하게 운동이나 사우나 같은 거를 할 때, 어떤 산뜻한 생각, 뭐지 하고 잘 생각나지 않던 것들이 종종 생각나는 경우가 있다. 그럴 때는 하던 것을 잠시 중단하고 황급히 메모지를 찾아 적기에 바쁘다. 잠시 후에는 다시 잊어버리는 경우가 많기 때문이다.

왜 그랬을까?

그러고 보니 요새 가끔 멍한 표정을 짓던 것도 다시 생각난다. 여러 가지가 연계된 아주 중요한 사안이라, 오늘도 안주인지 간식 준비에 바쁜 수연을 얘기 좀 하자고 불러 키친 테이블에 앉힌다.

"내가 어제 어찌 보면 갑자기, 어찌 보면 수연이 전부터 원하던 얘기를 꺼냈는데, 어제는 내가 스스로 너무 흥분해 수연 의견 잘 들어보는 점을 다소 소홀히 한 것 같은데… 어때요?"

테이블에 있던, 어제 이미 따놓은 와인 병에서 한 잔을 따라

급히 한 모금을 마신다.

"오전에 생각하니, 표정은 나쁘지 않았던 것 같은데 별말은 없었던 것 같아서."

수연의 표정이 금방 심각해진다.

"그래 보였어요? 저야 당연히 좋지요…. 제가 그리 바라던 것인데. 별일 없어요. 부모님이 어떠실까 걱정되긴 하는데, 미국으로 간다니 다행이고요."

표정과는 달리, 말은 별 문제가 없다.

'아, 부모님 때문이었나?'

'그럼 어제 전에 가끔 멍하던 것은?'

본인이 아니라는데, 왜 자꾸 내가 의문을 가지나. 그냥 그렇다고 생각하자, 이제부터 처리해야 할 일도 많은데.

"좋아요. 안주 마무리하고 와인이나 더 마십시다. 고마워."

와인을 건배 거듭하며 마시다 보니, 문득 수연과 미국 서부를 자동차여행 했을 때가 생각난다.

태평양 해안 경치로 유명한 퍼시픽 1번 하이웨이를 따라 샌프란시스코에서 엘에이로 내려왔었다. 한참 경치에 취해 기분 좋게 쉬었다 가다를 반복하다, 여정의 중간쯤에 왔을 때 갑자기 하이웨이 한복판에 '도로 폐쇄'라는 사인 판과 함께 경찰들이 보였다. 보이는 앞쪽 도로는 멀쩡하여 도저히 영문을 몰라 경찰에 확인을 해보니, 앞 저쪽 도로가 파손되어 조치를 취한 것이고 오늘 중으로 복구가 어렵다고 한다.

아니, 미국에서 어찌 이런 일이. 사전 경고도 없이.

경찰에 항의를 했더니, 한참 전 구간에 경고판을 설치했고, 라디오방송으로도 계속 알렸다고 한다.

라디오는 듣지 않았으니 논외고, 수연이 경고판을 본 거 같다고 얘기한 것이 화근이었다.

아니, 그렇게 중요한 얘기를 왜 안 했느냐, 같이 본 줄 알았다고 시작해서, 서로의 감정이 상당히 상하고 말았다.

산길로 우회해서 엘에이 가는 도중인 산타마리아란 도시에 도달할 때까지, 둘이 말 한 마디 안 할 정도로 나빠졌다.

그러나 누가 주도랄 것도 없이 호텔의 테이블에서 와인을 한 잔 하게 되었을 때, 누가 화해를 청하지도 잘못했다고 하지도 않았는데 자연스레 사이가 풀린 적이 있었다.

지금의 화해와 재결합이 그때처럼 간단하지는 않으나 지금 마주보고 와인 마시는 상황이 그때와 크게 다를 것도 없고, 아마도 그때처럼 과거의 여러 가지 좋지 않았던 일들이 햇살에 눈 녹듯이 사라진 거 같은 생각이 들었다.

아니, 그렇게 되기를 간절히 바라고 있는지도 모르겠다.

내 해명과 사과를 들은 로라는 기가 막힌 표정이기는 하나, 절망까지 간 것은 아닌 것도 같다.

역시 낙천적인 성격인가, 아니면 나를 그리 죽도록 사랑한 것은 아니었다.

"이런 일도 있네요. 그렇지 않아도 장마도 끝났으니 돌아가야죠. 유감이지만, 좋은 재결합 바래요."

쿨한 여자인 줄은 알았으나, 이 정도였는지는 몰랐다.

하여간 고맙고, 미안한 일이다.

나와 수연의 장래까지 축복하여 주다니. 요새 나는 왜 여자들에게 미안한 일만 만드는지 모르겠다.

미국 샌디에이고에서 투명망토 재료 관련 벤처회사를 차리는 것은 높은 인건비 등으로 무리로 보인다. 차리려면 역시 한국에서 해야 하는데, 미국에서 한국 왔다 갔다 하는 것도 여간 번거로운 일이 아니다.

일단, 보아두었던 그 한국 회사에 투자를 할 수밖에 없을 것 같다. 그 사업은 유망한 것으로 파악됐으니, 계속 미룰 것은 없고 한국 출국 전 마무리할 것이다. 물론 나중 샌디에이고 가서 상황을 살펴보고 달라질 수는 있겠으나.

많은 것이 정리되니, 장마 후 환한 햇빛처럼 머리가 개운하다. 아, 상쾌한 세상이여.

또다시 많은 일들이 생겨날 것이나, 지금은 그거를 걱정하고 두려워할 생각이 전혀 없다.

'사랑은 날 미치게 만들었다. 날 봐주지도 않으면서 행복하게 만들었고 내게 위로를 전하지도 않으면서 따뜻하게 만들었다. 그 무엇이 그토록 널 사랑하게 했냐고 묻는다면 창조주가 내 삶을 완벽하게 흔들어놔서라고. 왜 그렇게 생각을 하냐고 묻는다면 사랑은 신이 내린 또 하나의 창조이고 내가 널 사랑하니까.'

책을 읽고 있던 수연은 기분 좋은 얼굴로 콧노래를 흥얼거리면서 아까부터 울려대는 휴대폰의 진동으로 이제야 관심을 주려는 듯 화창한 햇살을 닮은 얼굴로 전화를 받았다.

"왜."

수연의 심드렁한 말에, 휴대폰 너머에서는 약간 큰 목소리가 튀어나왔다.

"야! 너 이게 얼마만이야? 그동안 왜 내 전화 안 받았어! 내가 얼마나 걱정했는데!"

수연은 퉁명스런 얼굴을 했다.

"강희야, 미안. 하지만 내겐 선택의 시간이 필요했고 방해받고 싶지 않았을 뿐이야."

친구는 꺼질 듯 한숨을 내쉬었다.

"난 뉴스만 봤잖아. 어디 다리에서 떨어졌다는 뉴스가 나오면 그게 너일 거라고 생각하면서. 너 괜찮니?"

수연은 고개를 기울였다.

"얘 봐라? 내가 언제부터 그렇게 약했어?"

친구는 혀를 쯧쯧 찼다.

"안 괜찮네, 안 괜찮아."

수연의 입가에 비스듬한 미소가 걸렸다.

"괜찮은 정도가 아니야. 행복해."
친구는 기겁을 했다.
"행복해? 너 진호랑 만나기로 했구나!"
수연은 알 듯 모를 듯 묘한 표정을 지었다.
그리고는 문 쪽을 바라보면서 중얼거렸다.
"올 때가 됐는데…."
친구는 물을 마시다가 살에 걸린 듯 힘겨워하면서 물었다.
"누가? 너 어떻게 된 거야? 영수? 진호?"
수연은 또 다시 미소 지으면서 말했다.
"내 삶이 힘들고 지칠 때는 그 사람이 날 외면할 때뿐이었어. 지옥에서 죽어가고 있는 날 방치했지. 너무도 끔찍했어."
현관문이 열리고, 이를 지켜보고 있던 수연의 얼굴에는 환한 미소가 흘러나왔다. 수연은 말을 이었다.
"그래서 나는 사랑 안 믿어. 내가 믿는 건…."
"그래서? 그래서 그게 누군데!"
수연은 시끄럽게 들려오는 친구의 목소리로 인해 전화를 조용히 끊었다.
사랑이, 내 사랑이. 지금 나를 원하는 것을 알았다.
"여자를 기다리게 하다니. 너무해요 영수 씨."
영수를 마주보고는 수연은 그렇게 투정부렸다.
영수는 심술이 난 얼굴을 한다.
"날 기다리면서 준비해주던 그 맛있는 요리는 오늘 안 보이는군."

수연은 고개를 기울였다.
“어머. 우리가 부부였어요?”
영수는 살짝 당황한 듯 보였다.
“…아닌가?”
수연은 지그시 영수의 두 눈을 바라봤다.
“아이도 낳고?”
영수는 피식 웃어버린다.
“축구팀을 만들고 싶어. 해마다 당신이 고생해도 10년은 더 걸릴 거야. 괜찮겠어?”
수연은 행복하게 웃음을 터트렸다.
“사랑해요.”
영수는 진지한 얼굴로 수연을 품에 안으면서 나지막이 속삭였다.
“내가 더 사랑해.”

‘신이 사랑을 창조하셔서 이 땅에 널리 퍼트리셨다. 이것을 보다 못한 악마와 타락 천사들은 불행을 만들어서 신이 내린 사랑을 방해하였다. 하지만 신이 만든 사랑은 위대하여 영원히 가슴속에 남아, 반대로 인간을 시험하게 했다. 신이 끝내 완벽하게 만들지 못하고, 악마와 타락 천사가 끝끝내 완전히 소멸시키지 못한 사랑, 운명이다.’

# 에필로그

사랑이 끝나서 이별이 오는 것이 아니라 더 이상 함께 할 수 없어서 이별을 만난다.

세상에 선악이 존재한다면 아마도 이별 그것에도 존재하지 않을까. 사랑하는 사람에게 상처를 주는 일. 나쁜 일임에도 불구하고 이별을 말해야 하는 것. 그것만큼 책임감이 따르는 것이 어디 있을까.

우리는 사랑을 할 때보다 이별을 할 때 더 많이 생각해 봐야 한다. 내게 더 특별함이 찾아올 것 같지만 사실은 이미 소중했던 누군가를 잃는 일이다.

두 강이 흐른다고 꼭 만날 필요는 없다. 만났던 두 강이 다시 갈라졌다 다시 또 만날 필요는 더욱 없다. 그러나 우리는 그렇게 되었다. 운명이라는 말 밖에 다른 표현이 생각나지 않는다. 그러나 운명에만 다시 기대할 수는 없다. 너무 힘들었고 아주 괴로웠고 너무 보고 싶었기 때문이다.

영혼을 팔아서라도, 다시 헤어지는 것을 막고 싶다. 별은 자기를 태워 빛나는 것이다. 우리는 이런 희망이 실존하도록, 길도 다시 만들 것이다.

장마 후 환한 햇빛처럼 머리가 개운하다.

아, 상쾌한 세상이여.

또다시 많은 일들이 생겨날 것이나, 지금은 그것를 걱정하고 두려워할 생각이 전혀 없다.

사랑과 이별 그리고 결혼, 우리의 이야기는 아직 끝나지 않은 것이다.

# 작품 해설 :
# 『사랑, 이별, 그리고 결혼의 랩소디』를 위하여

윤석산(한국시인협회 회장)

물리학자와 소설가가 함께 쓴 소설

# 『사랑, 이별, 그리고 결혼의 랩소디』를 위하여

윤석산(한국시인협회 회장)

1.

소설『사랑, 이별, 그리고 결혼의 랩소디』는 매우 특이한 작품이다. 먼저 저자가 두 사람이라는 점에서 특이함을 발견할 수 있다. 더군다나, 저자 중 한 사람은 소설과는 거리가 먼 물리학자이다. 이론물리학이나 천체물리학 등과 같이 그 학문 성격의 면에서 철학 등과 연관성을 지닌 물리학의 분야가 아니라, 투명망토를 연구하는, 말 그대로 물질과학의 가장 첨단을 가는, 그러한 분야를 연구하는 학자이다.

이러한 물리학자가 쓴 소설이 제목에서 시사(示唆)하는 바와 같이 사랑이라든가, 이별이라든가 하는 문제, 즉 인간의 내적인 문제를 주제로, 인간의 섬세한 심리적 변화가 주조(主調)를 이루는 소설을 쓴 것이다. 물리학과는, 더구나 이영백 교수가 연구하는 투명망토와는 거리가 멀어도 한참은 먼, 마치 물리학자로는 아득히 멀리 자리하고 있는 별자리와 같은 그런 세계를 소설이라는 이름으로 쓴 것이다.

이영백 교수는 이 분야에서 수많은 학술논문을 한국 물리학계뿐만 아니라 세계적으로 권위가 있는 물리학계에 발표를 하였고, 따라서 세계적으로 주목을 받는 물리학자로 왕성하게 활동을 하고 있다. 밤낮으로 연구실과 강의실에서, 또는 세계의 학회에서 물리학이라는 과학을 이야기하고, 그 시간의 틈을 쪼개고 쪼개서 소설을 쓰는, 어떻게 보면 전혀 다른 두 세계에서, 전혀 다른 두 가지의 일을 병행하는 기이하고 또 유별난 사람이라고 할 수가 있다.

물리학, 그 중에서 투명망토의 연구를 위해서는 자신의 모든 관심을 외적 대상인 물질에 두고, 그 물질을 분석하고 또 실험하고 증명하는 지극히 객관적이고 과학적인 일에 매달려 있다가, 자신의 전공을 잠시 떠나서 소설을 쓸 때에는, 자신의 내면, 즉 내밀한 내적 마음의 세계로 그 관심의 키를 돌려서, 자신의 복잡하고 또 면밀한 내면과 타인과의 유기적인 관계를 언어, 그것도 내포성(內包性)이 강한 문학적 언어로 드러내고 묘사하는, 어찌 보면 지극히 주관적이고 또 정서적인 일을 하므로, 전혀 다른 두 방향에서 서로 상반되는 두 세계의 일을 병행하고 있는 사람이다.

투명망토라는 것은 우리의 어린 시절, 상상력이 풍부한 만화가들에 의하여 공상(空想)의 만화로 만나던 기억이 있는 이름이다. 이러한 투망망토를 만드는 것은 과학이지만, 이를 만들겠다는 생각을 한 것은 다름 아닌 상상력(想像力)이었다. 투명망토는 일찍이 영국의 소설가 조지 웰스의 소설에서 처음

나온 것이기도 하다. 이러한 것을 연구하여 현실적인 물품으로 만들어내고자 오늘의 과학자들이 노력을 하고 있다. 즉 소설적, 혹은 만화가의 상상력을 현실로 실현시키는 과학자가 바로 이영백 교수이다.

이와 같은 면에서 본다면, 이영백이라는 물리학자는 상상력에 기반(基盤)하여, 한편으로는 가장 과학적인 결과물을 만들어내고, 다른 한편으로는 상상력을 중요한 바탕으로 하는 소설이라는 결과물을 창조해내고 있는 사람이다. 비록 그 방향은 서로 상반이 되어도 '상상'이라는 면에서 출발을 하는 두 가지 일을 하고 있는 사람이다.

소설『사랑, 이별, 그리고 결혼의 랩소디』이라는 작품은, 첫 번째 상상력을 그 기반으로 한 투명망토를 만드는 물리학자가, 상상력을 중요한 바탕으로 하여 쓴 소설이라는 면에서 그 특이함을 발견할 수 있다.

두 번째로 특이함은 소설『사랑, 이별, 그리고 결혼의 랩소디』는 한 사람의 작가가 쓴 소설이 아니라는 점이다. 두 사람의 작가가 쓴 소설이다. 두 사람의 작가가 공동으로 하나의 작품을 집필한다는 사실도 실은 어려운 일이지만, 두 사람이 서로 한 파트씩을 맡아 집필을 하는데, 결국은 이 두 사람의 집필이 하나의 소설로 완결을 이루게 하는, 그러한 공동 집필을 했던 것이다. 다시 말해서, 소설『사랑, 이별, 그리고 결혼의 랩소디』는 두 사람의 작가가 각기 자신이 맡은 인물이 되어 자신의 이야기를 각기 진술하는 형식으로 되어 있다. 한 작가는 주인공 A가 되어 그 A의 이야기를 하고, 이내 장면이 바뀌면서 다른 한 작가는 주인공 B가 되어 그 B의 이야기를 하는 특이한 형식으로 되어 있다.

비록 두 사람의 작가가 쓴 소설이지만, 그 분담이 분명하기도 하지만, A의 장면과 B의 장면이 서로 교차되면서, '사랑, 이별, 그리고 결혼 등의 내적 문제를 서로 유기적인 관계를 이루며 이야기함으로써, 보다 입체적인 효과를 주고 있는 구성으로 짜여 있다는 점이 특이한 것이라고 하겠다.

세 번째로 특이함은 이 소설『사랑, 이별, 그리고 결혼의 랩소디』가 한 편의 장편소설임에도 불구하고, 제1화와 제2화로 나뉘어져 있다는 사실이다. 더구나 이 두 이야기에는 전혀 다른 인물의 주인공들이 등장하고, 소설의 배경 역시 다른 곳으로 설정이 되어 있다.

따라서 이 두 이야기는 서로 다른 소설인 듯이 보인다. 즉 제1화는「우리의 이야기는 아직 끝나지 않았다」라는 제목으로 전개된 한편의 독립된 소설이고, 또 제2화는「그대와 결혼하여 사랑까지 했다」라는 제목으로 전개된, 또 다른 독립된 소설인 양 보인다.

그러나 작가들은 프롤로그를 제1화 앞에 붙이고, 또 에필로그를 제2화 뒤에 붙임으로서, 이 두 편의 소설은 결코 독립된 두 편의 소설이 아니라, 한 편의 연속된 소설이며, 다만 이야기만 제1화와 제2화로 나누어진 것이라는 사실을 암시하고 있다.

이러한 작가들의 암시와도 같이, 이 소설을 처음부터 끝까지 읽어보면, 제1화와 제2화가 비록 그 주인공이 서로 다르고, 그 활동 배경이 다르지만, 근본적인 면에서는 다른 소설이 아니라, 연장된 두 개의 이야기임을 짐작하게 한다. 즉 소설 『사랑, 이별, 그리고 결혼의 랩소디』는 두 편의 소설인 양 쓰고 있지만, 그 전개를 통한 특이한 구성으로, 이 두 편이 결코 다른 두 개의 소설이 아니라, 서로 연계된 한 편의 소설임을 보여주는 특이한 양식을 지니고 있음을 알게 된다.

작가의 한 사람은 물리학자라는 과학자이고, 다른 한 사람은 전문 소설가이다. 과학자와 소설가의 공동 집필이라는 점. 또 그 전개에서도 철저히 자신의 집필 부분을 분명히 하여 집필을 하였으며, 그러함에도 불구하고 서로의 유기적인 소설적 관계를 이루며 전개가 되고 있다는 점. 나아가 제1화와 제2화라는 두 편의 소설인 양 꾸미고 있지만, 궁극적으로는 한 편의 소설을 이루고 있다는 그 구성의 면 등이 이 소설을 새로운 소설로 이야기하기에 충분한 요소들이 아닌가 생각된다.

무슨 특이한 것이 좋기만 한 것은 아니지만, 예술이라는 것은 어떤 의미에서 새로운 실험과 시도 속에서 신선함을 던져주는 면이 없지 않아 있다. 즉 소설 『사랑, 이별, 그리고 결혼의 랩소디』는 여러 면에서 새로운 예술적인 실험을 시도한, 그러므로 우리에게 신선한 충격을 주는 소설이라고 할 수가 있다.

2.

소설은 그 작가에 의하여 일련의 문장들이 매우 의도적으로 진술되고, 또 그 진술된 것들의 결합에 의하여 이루어지는 문학 양식이다. 다시 말해서 그 작가가 선택한 언어들과 그 언어들의 조직적인 배열이 바로 소설이라는 양식이라는 말이 된다. 작가에 의하여 선택된 언어의 배열은 곧 이야기를 만들어 낸다.

그러나 이 이야기는 두 가지로 대별이 되고 있다. 즉 '이야기(story)와 표현의 차원에서의 이야기하기(discourse)'라는 두 가지 국면으로 소설은 짜여 있다. 소설에서의 '이야기'는 사건을 전개시키고, 인물의 행동이나 배경 등을 전개시켜 나감으로써 줄거리의 얽힘과 발전 등을 이끈다. 이에 비하여 '이야기하기'는 인물의 내적 변화나 심리적인 상황을 묘사함으로써 사건과 함께 일어나는 인물의 성격, 곧 캐릭터를 형성시키는 기능을 한다.

소설『사랑, 이별, 그리고 결혼의 랩소디』는 어느 의미에서 서사 구조를 이루는 중요한 요소인 이야기와 이야기하기 중에서 보다 이야기하기에 치중된 소설이라고 말할 수가 있다. 즉 소설『사랑, 이별, 그리고 결혼의 랩소디』를 읽는 재미는 사건의 전개라든가, 인물의 행동, 배경 등에 있는 것이 아니라, 내밀하게 직조된 내면적 세계를 인지하고 또 함께 하듯이 이에 전개되는 내적 세계를 실감해 나가는 데에 소설적 재미가 있는 작품이다.

소설 『사랑, 이별, 그리고 결혼의 랩소디』는 그 이야기가 단순하다면 매우 단순하다고 말할 수 있는 작품이다. 「우리의 이야기는 아직 끝나지 않았다」라는 제목의 제1화에는 이배, 이나라는 주인공과 루, 그리고 정신이라는 인물이 등장한다. 단순하게 네 사람의 인물만 등장한다.

이 네 사람의 인물들 중에서도 이배라는 남성과 이나라는 여성의 사랑과 회상이 그 주조를 이루고, 루와 정신은 이들 속에 마치 보조적으로 등장하는 인물로 가볍게 처리되고 있다. 다시 말해서 이 제1화인 「우리의 이야기는 아직 끝나지 않았다」는 이배라는 남성과 이나라는 여성의 사랑 이야기가 주를 이루는 소설이다.

그러나 이 둘은 서로 만나 사랑을 하는 등의 행위는 전혀 없고, 이미 헤어진 상태에서 서로를 생각하는 형식으로 진행이 되고 있다. 이배와 이나가 자신들의 사랑에 관하여 생각하고 고뇌하는 그 사이 잠시 루와 정신이 이들과 연관을 맺으며 등장하고 있을 뿐이다.

또한 그 배경도 이나는 한국에 있으면서 이배를 생각하고, 이배는 직장 관계로 중국에 머물면서 이나를 생각하는 것으로 되어 있다. 이나와 이별을 하고 중국에 와서는 루라는 직장의 중국 여성과 사귀면서도 이나와의 사랑을 곱씹으며 회상하고 있고, 한국에 있는 이나는 이배와의 사랑을 생각하며 정신과 의사인 정신과 상담을 하는 것으로 되어 있다.

따라서 제1화 「우리의 이야기는 아직 끝나지 않았다」는 이야기의 전개라는 것이 매우 단순하다. 사건이 진전되는 것도 없고, 배경이 화려하게 바뀌는 것도 없다. 다만 이 정적(靜的)이리만치 단순한 이야기 전개 속에서, 매우 심도 있고 또 진지한 사랑에 대한 심리상태의 묘사가 제1화「우리의 이야기는 아직 끝나지 않았다」의 주조를 이루고 있음을 볼 수 있다.

이러한 소설의 전개나 모습은 제2화「그대와 결혼하여 사랑까지 했다」에서도 마찬가지이다. 제2화「그대와 결혼하여 사랑까지 했다」는 영수라는 남성과 수연이라는 여성, 이 두 사람의 잠정적 이혼 이후의 이야기이다.

잠정적 이혼 이후에 영수는 미국에 건너가 로라라는 한국계 여성을 만나 연애를 하며 결혼까지 생각한다. 이후 잠시 직장의 일로 한국으로 돌아와 있고, 수연은 한국으로 돌아와 있는 영수와 실제적인 성생활이나 이러함이 없이, 다만 같은 집만 함께 쓴다는 조건으로 영수와 지내며 잠시 동창생인 진호의 호의를 받는다는 이야기로 전개가 되고 있다.

즉 제1화와 마찬가지로 주인공 영수와 수연, 그리고 영수와의 관계에서 로라, 수연이와의 관계에서 진호, 이렇게 네 사람의 인물만이 등장하는 소설이다. 또한 그 배경도 제1화가 한국과 중국이었다면, 제2화는 한국과 미국, 즉 나라 이름만 바뀌었지 결국을 똑 같은 구조 속에서 똑 같은 패턴으로 진행되는 이야기임을 알 수가 있다. 즉 이별과 그 이별 속에서 헤어진 상대에 대한 마음과 회상, 그리고 그리움과 갈등 등으로 점철되어 있다는 점은 서로 같다.

소설 『사랑, 이별, 그리고 결혼의 랩소디』에서 이야기의 기복과 줄거리의 얽힘과 이를 통한 반전, 그리고 이 안에서 느끼는 흥미 등에 초점을 둔 독자라면, 이 작품이 지극히 단순하여 깊은 재미는커녕, 심하게는 실망감을 느낄 수도 있을 것이다.

그러나 이 소설 『사랑, 이별, 그리고 결혼의 랩소디』는 앞에서도 이야기한 바와 같이 주조를 이루는 것이 전개 양식, 곧 '이야기'의 화려함에 있는 것이 아니라, '이야기하기'에 중점이 있는 소설이다.

따라서 이 소설을 읽으면서 독자로 하여금 읽는 즐거움과 재미를 느끼게 하고, 또 때로는 독자를 황홀함으로 이끄는 요소는 '이야기하기', 즉 심리적 표현의 측면에 있는 것이다.

이러한 부분들을 인용해 보면 다음과 같다.

사람들과, 특히 여자와 관계를 맺는 데 신중한 성격인 점도 있고, 이나와의 끊어진 듯 아닌 듯 어정쩡한 관계도 작용하고 있는 듯하다.

그 요술램프의 요정이 아직도 가끔 튀어나와 내 주위를 서성대다 다시 들어가곤 한다.

시간과 장소가 달라지면 많은 것이 변한다.

사실 어떤 것은 아예 사라지기도 하고, 다른 것은 모양이나 용도가 달라지기도 한다.

그럼에도 불구하고, 어떤 것은 그대로 남는 것도 있다. 이런 것들을 생각하고 바라보면, 인생 자체와 같이 눈가에 물기가 맺히고 가슴이 저려지기도 한다.

제1화「우리의 이야기는 아직 끝나지 않았다」의 몇 쪽

빛은 어둠으로 인해 존재한다.

어둠과 더한 어둠이 부딪쳐서 빛이 만들어졌다. 그러기에 너에 대한 어둠이, 그 기억이 내게 절대적으로 어둠으로 다가오지 않는다.

그래서 문제다. 불행한 기억은 시간이 지나면 아름다움으로 승화가 된다. 그래서 문제다. 내가 너를 잊을 수 없는 일. 나는 작은 조소를 지었다.

그것은 절대적인 불행이었다.

나는 살아오면서 몇 가지 이치들을 알았다. 인간은 나이가 들면서 자아가 성숙되고 사회의 틀 안으로 들어오면서 자신이 사랑하는 것들은 점점 줄어든다.

어렸을 때는 동네 강아지도, 예뻐할 때만 찾는 인형도 모두 사랑하고 좋아하는 것들이었는데도.

나를 행복하게 만들어주는 관계가 슬프지만 네가 유일했다는 것도. 나의 하루를 사랑스럽게 꾸며주었던 이가 네가 유일했다는 것도 전부 다 불행이다. 그런데.

나는 그 불행을 사랑한다.

너에게 상처받은 나의 마음이 너무도 사랑스러워 난 오늘도 운다. 내 무미건조하던 표정을 내 삶을 오만가지 표정으로 바꿔주었던 너를 사랑한다.

제1화 「우리의 이야기는 아직 끝나지 않았다」의 몇 쪽

위의 부분들은 제1화에서 뽑은 문장들이다. 어떤 특별한 관심을 기울이지 않고도 이 소설에서 만날 수 있고 또 뽑을 수 있는, 그런 유의 문장들이다. 위의 문장은 남성 주인공인 이배의 진술이고, 아래 문장은 여성 주인공인 이나의 진술이다.

이 진술들은 매우 시적(詩的)이다. 시적인 감수성과 함께 인간의 내면세계를 잘 드러내주고 있는 문장들이다. 이러한 문장을 통해 인간의 내면에 깊이 자리하고 있는 진실을 만날 때, 독자는 여기에 감동하게 되고, 또 그러므로 소설을 읽는 즐거움에 빠질 수가 있다.

인생을 살다보면 이러지도 저러지도 못하는 경우가 간혹 있게 마련이다.

이런 때에 대한 태도는 성격에 따라 달라질 수 있다.

보다 적극적인 사람은 문제를 극복하려 본인이 주도적으로 움직일 것이다, 그 반대의 사람은 덜 골 아픈 쪽에 몸을 맡기고 운명을 받아들이지 않을까.

이런 식으로 생각하니 답이 조금 보이기 시작한다.

나는 그래도 적극적인 편인 사람이다.

문제를 극복하기 위해, 호랑이와 맞닥뜨리려면 호랑이굴로 가야 할 것으로 보인다. 호랑이굴이라….

그 예쁘고 애교 많던 수연과 꿀 넘치며 같이 살던 아파트가

호랑이굴이라.

생각의 끝에 서니, 운명의 처연함이 보인다.

제2화 「그대와 결혼하여 사랑까지 했다」의 몇 쪽

국가 조류 자연보호구로 지정될 정도로 조류 서식지로도 유명하다. 철이 아니라 그런지, 습지 저쪽 바닥에서 오직 새 한 마리가 다소 탁한 하늘을 응시하고 있다.

"저 새는 어디를 보고 있을까요?"

루가 생뚱맞은, 그러나 의미 있게 묻는다.

"내 생각에는 가고 싶은 데나 아니면 꼭 가서는 안 될 곳을 보지 않을까?"

"새나 사람들 인생이나 수시로 둘 중 하나를 택해야 하는 건가요?"

"루쉰의 말처럼 '길이 어디 있었나, 가고 가면 길이 되는 것이다.'일 수도 있고."

돌아오는 다리 위에서 루가 중얼거린다.

제1화 「우리의 이야기는 아직 끝나지 않았다」의 몇 쪽

위의 문장들 역시 소설 『사랑, 이별, 그리고 결혼의 랩소디』의 어디에서나 흔히 만날 수 있는 그런 문장들이다. 인용된 문장은 앞에 인용된 문장의 종류와는 다르게, 사건의 전개나 대화로 되어 있다. 그러나 단순한 사건의 전개가 아니라, 주인공의 사유가 깊이 담겨진 그런 문장들이다.

인용된 앞의 문장에서 사고의 전환은 참으로 재미가 있다. 살다가 보면, 이러지도 또 저러지도 못하는 경우를 만난다. 이럴 때에는 보다 적극적으로 대처를 해야만 그 상황을 극복할 수 있다는 견해를 펼친다.

적극적으로 대처해야 한다는 견해의 한 예로 '호랑이를 잡으려면 호랑이 굴에 들어가야 한다.'는 속담을 떠올린다. 잠정적 이혼 상태인 수연이를 만나러 그 집으로 들어가야 할 것인가, 들어가지 말고 만나지 말아야 할 것인가를 고민하는 사이에 이러한 생각을 하고, 호랑이 속담을 떠올린 것이다. 이 호랑이, 호랑이 굴 속담을 떠올리면서, 주인공은 이내 '그 예쁘고 애교 많던 수연과 꿀 넘치며 같이 살던 아파트가 호랑이굴이라.'라며 되뇐다.

바로 이러한 전환이 소설을 읽는 즐거움을 준다. 이와 같은 예는 그 다음에 인용된 문장에서도 만날 수 있다. 조류 서식지에서 새를 바라보며, 저 새가 어디를 보고 있을까를 이야기한다. 실은 새가 바라보는 곳은 아무도 모른다. 그러나 주인공은 "내 생각에는 가고 싶은 데나 아니면 꼭 가서는 안 될 곳을 보지 않을까?" 라고 답한다. 그러면서 이내 생각의 국면이 전환되면서 인생이라는 것도 결국은 이 두 가지 중에 하나를 택해야 하는 것이라는, 인생의 이야기로 바뀌게 된다.

헤어진 사랑, 그러나 아직도 남아 있는 이나에게 가는 길과 현재 만나고 있는 여인 루에게 가는 길, 이 두 길에서 갈등하는 이배의 심정이 담담하게 대화를 통해 그려지고 있다. 그러면서 루쉰의 '길이 어디 있었나, 가고 가면 길이 되는 것이다.'라는 구절을 인용하면서, 어떠한 나름의 결말을 제시하고 있음을 볼 수가 있다.

이와 같이 이 소설은 '이야기하기'만이 아니라, '이야기'에서도 매우 묘사적이고, 또 시적인 문장을 백분 살린 작품이라고 할 수가 있다. 바로 이와 같은 점이 이 소설이 지닌 소설로서의 가치를 지니게 하고, 나아가 독자들이 소설을 읽는 재미가 될 것으로 기대된다.

3

인류의 문화와 예술의 유산 중 가장 많은 소재로 등장한 것은 '사랑'이리라. 사랑은 가장 보편적인 정서이기 때문이다. 이러한 사랑은 대체적으로 이별을 동반하는 사랑이 또한 대부분이다. 이별은 어느 의미에서 사랑을 사랑으로 만들고, 사랑이 지닌 그 가치를 보다 분명하게 하는 사랑에의 중요한 기재가 아닌가 생각된다. 이별 없는 사랑이란 어떤 의미에서 재미없는 사랑이 아니겠는가.

우리의 수많은 문학작품에서도 사랑과 이별을 수도 없이 만날 수가 있다. 몇 개의 예를 들어보기로 하자.

가시리 가시리잇고 나는
버리고 가시리잇고 나는
위 증즐가 대평성대(大平盛代)

날러는 엇디 살라하고
버리고 가시리잇고 나는
위 증즐가 대평성대(大平盛代)
잡사와 두어리마 나는
선하면 아니올셰라
위 증즐가 대평성대(大平盛代)
셜온님 보내옵노니 나는
가시는 듯 도셔 오쇼셔 나는
위 증즐가 대평성대(大平盛代)

위의 시는 잘 알려진 고려속요인「가시리」이다. 사랑하는 사람과의 이별이 그 주조를 이루고 있다. 사랑하는 사람을 보내면서, 가지 말라고 적극적으로 붙잡지도 못하는 화자의 애절한 마음이 잘 표현되어 있다. 가지 말라고 붙잡으면, 그 붙잡는 행동이 싫어서 훗날 오고 싶어도 돌아오지 않을 것이 걱정이 돼서, 적극적으로 붙잡지도 못하는 그 마음은 오죽하겠는가. 그래서 지금 이렇게 서럽고 또 서운한 마음으로 님을 보내고 있으니, 가시는 듯 이내 돌아와 달라는 사랑에의 염원이 담겨져 있다.

이러한 사랑의 마음이 일컫는 바, 한국적인 정서인 한(恨)이라고들 한다. 보내고 싶지 않은데, 가지 말라고 떼라도 쓰고 싶은데, 그러지를 못하고 그저 보내야 하는 그 마음에 쌓인 한. 한(恨)이라는 것은 어느 의미에서 '하고 싶은 욕구와 할 수

없는 현실이 서로 충돌하면서 야기(惹起)되는 심리적인 변화'
이다.

이러한 모습의 사랑은 오랫동안 우리의 마음에 자리하고 있었고, 우리를 이야기하는 중요한 정서가 되기도 하였다. 현대에 이르러서도 이와 같은 한을 주조로 한 시가 많은 독자들의 마음을 움직이며 애송되고 있다.

나 보기가 역겨워
가실 때에는
말없이 고이 보내 드리오리다

영변(寧邊)에 약산(藥山)
진달래꽃
아름 따다 가실 길에 뿌리오리다.

가시는 걸음걸음
놓인 그 꽃을
사뿐히 즈려 밟고 가시옵소서.

나 보기가 역겨워
가실 때에는
죽어도 아니 눈물 흘리오리다.

위의 시는 너무나도 잘 알려진 김소월의 「진달래꽃」이다. 이 작품 역시 「가시리」와 마찬가지로, 사랑과 이별이 그 주를 이루는 소재의 시이다. 또한 그 정서의 면에서도 「가시리」와 많이 유사하다. 떠나는 님을 붙잡지도 못하고 그 가는 걸음걸음에 자신의 사랑을 담은 '진달래꽃'을 뿌려드린다고 말하고 있다. 다만 뿌려만 주는 것이 아니라, 그 뿌려진 진달래꽃은 사뿐히 즈려 밟고 가시라고 말한다. 사랑에의 순종과 헌신이 그 극에 달한 모습을 보여주는 시로, 어떤 의미에서 사랑이란 것은 바로 이러함에 그 진정한 가치를 지닌다는, 사랑의 가치를 새롭게 창조한 작품이 되기도 한다.

이와 같이 사랑은 늘 이별을 동반함이 그 모습이다. 그러므로 사랑과 이별은 어쩌면 그 시작도 없고 또 그 끝도 없는 것인지도 모른다. 소설 『사랑, 이별, 그리고 결혼의 랩소디』 또한 이 시작도 또 끝도 없는 사랑과 이별 속에서의 수많은 심리적 변화와 갈등이 점철된 작품이다. 제1화와 제2화 공히 같은 모습을 지니고 있다. 그런가 하면, 이 소설 『사랑, 이별, 그리고 결혼의 랩소디』는 「가시리」나 「진달래꽃」과 같은 한과 애환을 지닌 작품이라고 생각된다.

떠난, 이별을 한, 또는 이혼을 한 상대를 마음으로 그리고, 그 그리는 마음속에 갈등을 지니고 만나야 할 것인가, 만나지 말 것인가 고뇌하는 모습에서 변주된 우리의 정서 '한(恨)'을 만날 수 있다. 따라서 그 모습에서는 많은 변주를 한, 그렇기 때문에 겉으로 보기에는 전혀 다른 모습으로 보이고 있지만 궁극적으로는 우리의 오랜 정서인 한(恨)과 같은 맥락이 되고 있는 소설이라고 하겠다.

이러한 모습을 작가는 소설의 마지막 부분에서 다음과 같이 술회하고 있다.

'신이 사랑을 창조하셔서 이 땅에 널리 퍼트리셨다. 이것을 보다 못한 악마와 타락 천사들은 불행을 만들어서 신이 내린 사랑을 방해하였다. 하지만 신이 만든 사랑은 위대하여 영원히 가슴속에 남아, 반대로 인간을 시험하게 했다. 신이 끝내 완벽하게 만들지 못하고, 악마와 타락 천사가 끝끝내 완전히 소멸시키지 못한 사랑, 운명이다.'

사랑, 이별, 그리고 결혼의 랩소디가 언어를 통해, 소설의 구조 속에서 어떻게 연주되고 있는지, 또한 언어라는 장치를 빌려 소설로써 어떻게 승화되고 있는지, 깊이 실감하고 또 공감할 그런 기회를 지니기를, 독자 분들께 일독을 권한다.